大人の学参

まるわかり世界史

津野田興一

文春新書

1391

現在の世界の動きを理解するには、時間を巻き戻すことも必要です。A国とB国の紛争は、いつから、何が原因で起きているのか？　なぜ隣り合った国なのに、言語や文化が異なるのか？　そうした因果関係を考えるために不可欠なのは歴史の知識です。

学校で習った世界史といえば、とかく年号や用語を覚え込む暗記科目というイメージが強いかもしれません。しかし、そうした記憶の断片を繋ぎ直し、ひとつの流れとして把握したとき、かつて受けた歴史の授業はその真価を発揮します。

本書は、あなたの知識を復活させ、アップデイトし、大きなストーリーとして繋ぎ直す「大人の学習参考書」を目指しています。

本書は東京大学をはじめ、有名大学の入試問題から、世界史の大きな流れを押さえる問題を選んで解説しています。問題を解くことで歴史の理解が深まり、世界の繋がりが見えてくる。歴史のイメージを定着しやすくする画像、図表や地図、豊富なエピソードもつまっています。

通勤通学の途中、ちょっとした息抜きの時間に、「学び」を再起動させる、そんな「大人の学参」をお届けします。

【文春新書編集部】

大人の学参　まるわかり世界史　目次

※本書で引用した各大学の入試問題は一部体裁を改めております。

序章　グローバル化が黒死病大流行を生んだ？

まずは図１の絵をご覧ください。この人物は、体全体を黒い服ですっぽりと包み、頭に帽子をかぶって顔には奇怪なマスクをつけています。手袋をはめた手には、なにやら長い棒が握られています。

そこで問題です。この人物はいったい何者なのでしょうか？

図1

（ア）兵士
（イ）魔術師
（ウ）医者
（エ）化学者

答え合わせをするにあたり、２０１４年２月に大阪大学で出題された世界史の入試問題を紹介しましょう。

人類史上、世界的に最も大きな被害をもたらしたと思われる伝染病としては、14世紀の黒死病（ペスト）と１９１８年に始まったスペインかぜ（インフルエンザ）などがあげられる。黒死病は、ヨーロッパや北アフリカに広まったが、中国でも多数の死者を出しており、アジアから病原菌がもたらされたと考えられている。スペインかぜは、推計５千万人以上の死者を出し、日本も含む全世界的流行となった。

このような世界的規模の流行を引き起こした要因の一つとして、地域間移動の頻度が増加したことが考えられるが、それぞれについて、最も重要と思われる点を述べなさい。その際、黒死病・スペインかぜに分けて説明すること（１００字程度）。

（大阪大　２０１４年）

大阪大学は新しい歴史学と歴史教育への挑戦として、２００３年より高校の教員との連携を積極的に進めています（大阪大学歴史教育研究会のホームページ https://sites.google.com/site/ourekikyo/ を参照）。そこでは、歴史学の研究と歴史教育を結びつける試みがなされていて、興味深い議論が展開されています。また、これと関連して大阪大学の入試問題では、個別の歴史的な事象の中に、大きな世界史的つながりや因果関係を見出そうとする思考力を問うものが多く、好感が持てます。

ここでは「黒死病（ペスト）」と「スペインかぜ（インフルエンザ）」という伝染病が世界的に大流行（個別の歴史的な事象）した背景を考えさせるものになっています。ただし、それだけではただの難問になってしまいますから、受験生へのメッセージとして、「地域間移動の頻度が増加したこと」に着目せよ、と問題への観点、つまり切り込み方をアドバイスしています。そこで、設問の順番に即して、黒死病（ペスト）とスペインかぜ（インフルエンザ）の順に、世界的規模の流行の理由を考えてみましょう。

1．黒死病（ペスト）

（1）黒死病とは何か？

黒死病とはどのような病気かというと、ペスト菌という細菌の感染によっておこる伝染病の一種です。主にネズミなどの齧歯《げっし》類からノミを媒介として人に感染します。潜伏期間は1週間以内、リンパ節や血液、肺などで増殖し、高熱・頭痛・悪寒・倦怠感・食欲不振・嘔吐・筋肉痛・疲労・衰弱などが見られ、わきの下や首などのリンパ節がリンゴ大に腫《は》れ上がります。また、ペスト菌が血管内に入って全身に広がると、毛細血管などで血流が止まって手足が壊死《えし》しはじめ、紫斑《しはん》などの「黒死病」の症状がおこります。なんらかの治療をおこなわないと、死亡率は30〜60％となっており、医学的知識に欠ける中世ヨーロッパにおいて、人々は恐怖のどん底に突き落とされたことが想像できます。

　中世のヨーロッパでは、イングランドとフランスとの百年戦争中に黒死病の大流行を経験します。当時はペスト菌が病気を引き起こす原因であることが知られていなかったため、「悪魔の仕業」とか「神の怒り」などと考えられていました。また、視線が合うと伝染するとの迷信もあったため、冒頭の図１のような奇っ怪なマスクをする医者も登場しました（出典は村上陽一郎『ペスト大流行』岩波新書）。したがって、先ほどの設問の答えは（ウ）になります。

　黒死病は１３４８年以後全ヨーロッパに広がり、人口のなんと３分の１を奪い去ったと言われています。図２（次ページ）の絵は当時のロンドンで、死者をきちんと埋葬することができず、穴を掘ってまとめて埋めている様子を描いています。

　このような状態に耐えきれず、民衆の中には疫病の流行を「神の懲罰《ちょうばつ》」と考えて、「鞭《むち》打ちの苦行」をおこなう集団が現れたり、ラテン語で「メメント・モリ（死を想え）」と

図2　ペスト流行下のロンドン

『ペスト大流行』（村上陽一郎　岩波新書）より

いう言葉が唱えられたりするのもこの時代のことでした。当時の人々にとって、生きることと死ぬことは表裏一体のものだったのです。

（2）黒死病流行の背景

黒死病（ペスト）が爆発的に流行した背景としては、14世紀の気候の寒冷化や、1339年から始まる百年戦争によって食料不足が進み、社会の不安が高まっていたことなどによる抵抗力の低下をあげることができるでしょう。ただし、設問では「地域間移動の頻度が増加したこと」という観点からの解答が求められています。それはいったい何を意味するのでしょうか？

ヒントは「アジアから病原菌がもたらされた」という一文でしょう。黒死病の大流行は14世紀の半ばです。気がつきましたか？　そうです、当時はチンギス＝ハン以来のモンゴルによるユーラシアの統一が実現していました。そのモンゴル帝国においては、ジャムチと呼ばれる駅伝のシステムが整備され、世界史上初めてユーラシア大陸のほぼ全域が陸のルートで結ばれていました。図3の写真はパイザ（牌子）と呼ばれる通行手形兼身分証明書で、保有する者には安全な通行が保証されました。

　さらに海のルートも活性化し、ヴェネツィアの商人であるマルコ＝ポーロも、中国の元《げん》からヨーロッパに戻るときには海のルートを使用しています。このような状況の中、帝国の行政官僚だけでなく、多くの商人などがユーラシアの東西南北を行き交う、大交易の時代を迎えていました。

図3　パイザ

『世界の歴史9　大モンゴルの時代』（杉山正明・北川誠一　中央公論社）より

　中国南部の雲南省もしくはビルマの風土病と考えられている黒死病が他の地域に爆発的に広まった理由には、このような背景があったのです。

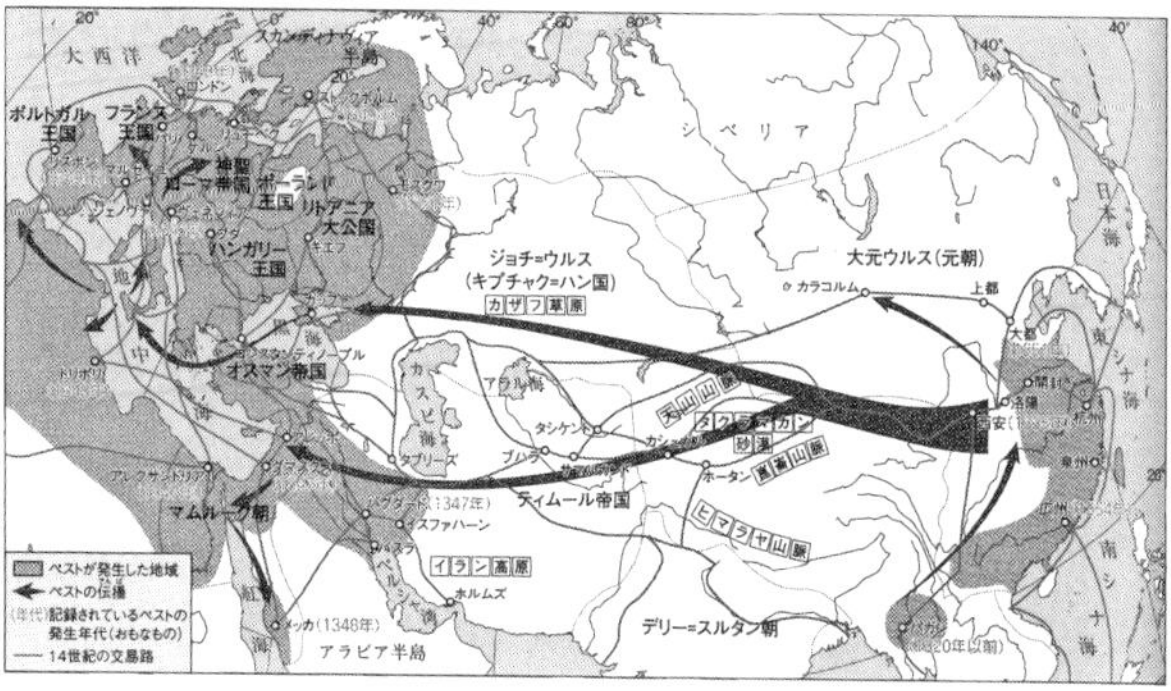

図4　14世紀の交易とペストの広がり

『新詳世界史B』（帝国書院）より

黒死病は中央アジア経由でユーラシアの東西に広がり、西方ではヨーロッパの人口の3分の1を奪ったと言われますが、東方でもモンゴル帝国に壊滅的な打撃を与えて、その世界帝国崩壊の一因になったと言います。

（3）まとめ

高校で使用されている帝国書院の教科書『新詳世界史B』には、「13〜14世紀　ユーラシア大交流圏の成立と危機」と題したコラム（図4）があり、次のように説明されています。

「1310年ごろから約60年間、北半球で寒冷な気候が続き、各地で不作や飢饉《ききん》が起こった。それまでの好況で人口が増え、やせた土地の無理な開

【関連年表】

1206	チンギス＝ハン即位
1260	フビライ＝ハン即位
	［モンゴル帝国によるユーラシアの統一］
14 c	**気候の寒冷化と飢饉**
	［前期倭寇の活動］
1336〜92	日本、南北朝の動乱
1339	英仏百年戦争開始
1348	ヴェネツィアで黒死病流行、以後ヨーロッパ全域に拡大
	［チャガタイ＝ハン国東西分裂］
	［イル＝ハン国の崩壊］
1368	朱元璋が明を建国
	元は大都を奪われてモンゴル高原に撤退

発や森林の破壊が進んでいたことも、農業生産力の大幅な低下につながった。また、ユーラシアに形成された大交流圏の影響で、もともとミャンマーあたりの風土病だったとされるペスト（黒死病）が、ユーラシア西方に急速に広がり、西ヨーロッパの人口の3分の1を奪った。」

なお、この叙述は東京大学で清朝史を専門とする杉山清彦氏の執筆になるものと想像されます。そのいっぽうで、モンゴル帝国に関する研究をリードしてきた元京都大学教授の杉山正明氏は、ユーラシア東部で発生した流行病を黒死病（ペスト）と断じることは史料的にはできないとし、黒死病がモンゴル帝国からヨーロッパへと広まったとする説は「真にうけるにはおよばない」と切り捨てており（『世界の歴史9　大モンゴルの時代』中央公論社）、「2人の杉山氏」の見解が分かれていることは面白い点です。そして、設問文に見られる大阪大学の先生の見解は、中国でも黒死病（ペスト）が大流行したとの観点に立っています。

それはともあれ、14世紀半ばの黒死病（ペスト）の大流行がなぜ起こったのかという問いに答えるためには、14世紀だけを考えるのではなく、13世紀以来のモンゴル帝国の時代を理解する必要があるのでした。このように、ある出来事の背景を知る方法として、「歴史的に考察する」ことが有効になるのです。

2．スペインかぜ（インフルエンザ）

インフルエンザは風邪の一種と考えている人もいるかもしれませんが、ウイルスによる、より強力な呼吸器感染症です。その点において、「スペインかぜ」という通称には大きな問題がありそうです。ともあれ、「スペインかぜ」が大流行した１９１８年から１９１９年にかけての世界情勢を考えてみると、ここにも「地域間移動の頻度が増加したこと」を見ることができます。

では質問。１９１８年には次のうちどの出来事が起こっていたでしょうか。考えてみて下さい。

（ア）スエズ運河の開通
（イ）パナマ運河の開通
（ウ）第一次世界大戦
（エ）第二次世界大戦

（ア）のスエズ運河の開通は１８６９年、（イ）のパナマ運河の開通は１９１４年なので惜しいです。（ウ）の第一次世界大戦は１９１４〜18年、（エ）の第二次世界大戦は１９３９〜45年。ということで、正解は（ウ）の第一次世界大戦でした。

ではさらに質問です。第一次世界大戦と「地域間移動の頻度が増加したこと」とは、どのように結びつくのでしょうか？　その脈絡を考えてみましょう。

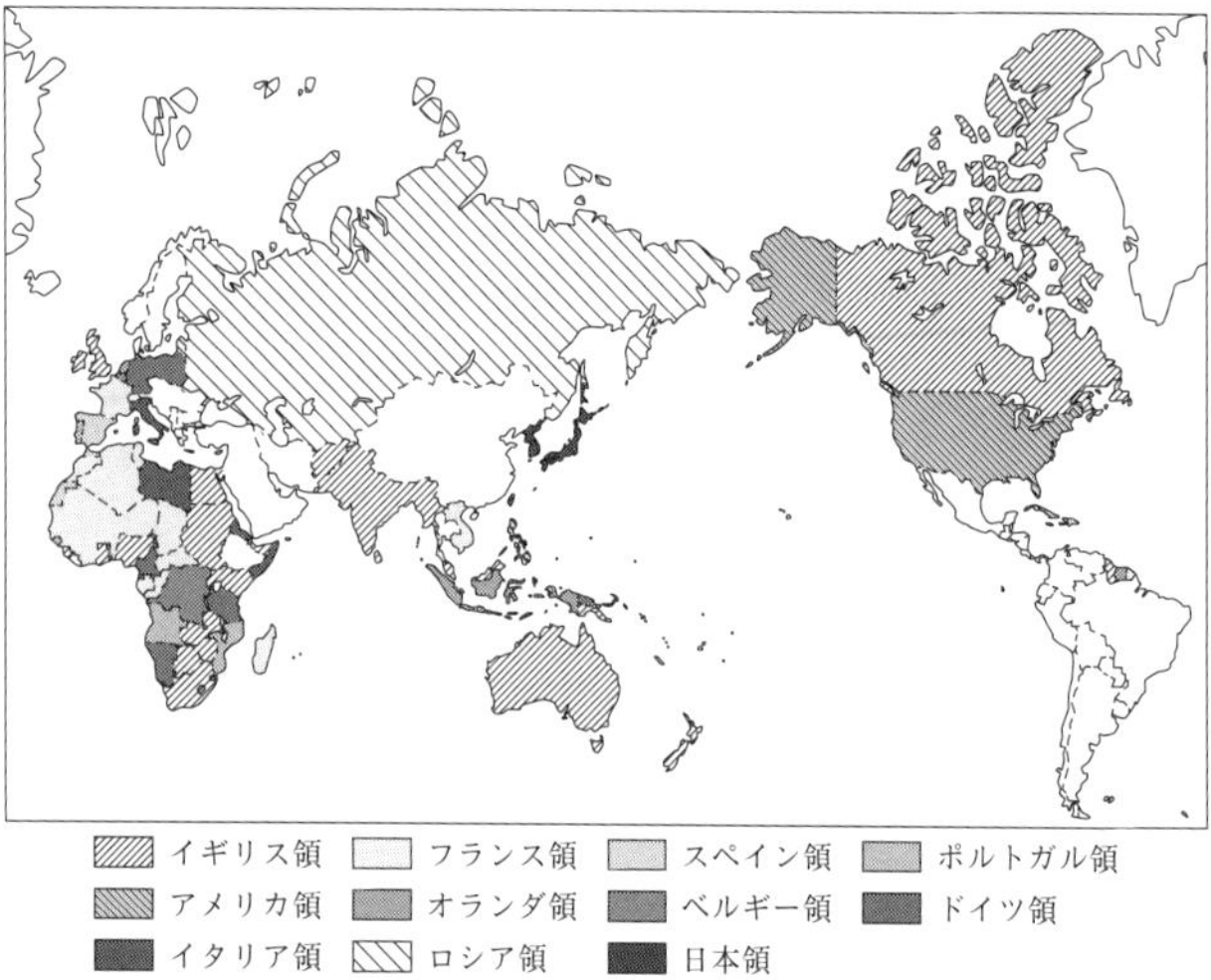

図5　第一次世界大戦直前の帝国世界

（1）背景

19世紀、ヨーロッパの国々はいち早く国民国家建設を進めてゆきますが、「1873年の世界恐慌」をきっかけとして、帝国主義と呼ばれる対外政策を採用します。それは、国外に植民地を獲得し、さまざまな経済的利権を確保しようとする政策で、イギリス、フランス、ドイツ、イタリア、ロシア、オランダ、ベルギー、アメリカ、日本など、両手で数えられるほどのわずかな国々が、地球の隅々にまで支配権を広げてしまいました。これは「世界分割」と呼ばれ、20世紀初頭には図5のように、アジアとアフリカの大部分が

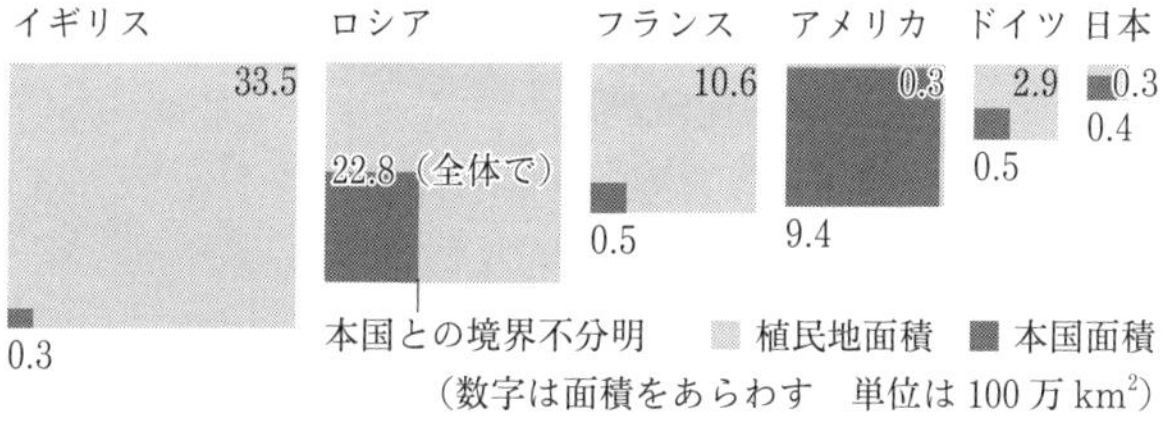

図6　列強の海外植民地領有面積の比較（1914年）
『詳説世界史B　改訂版』（山川出版社）より

帝国主義国の支配下に置かれることになりました。

アジアでは、イギリスが１８７７年にインド帝国を樹立してインドの完全な植民地支配を確立したのをはじめ、フランスがベトナムを１８８５年に、オランダがインドネシアを20世紀初頭に、そして日本が１９１０年に朝鮮を植民地化することで、「世界分割」を進めました。アフリカに関しては、１８８４〜85年のベルリン＝コンゴ会議で、アフリカを「無主の地」と規定したうえで、先に実効ある支配をおこなった国の権利を認めるという「先占権」をヨーロッパ諸国が確認し合ったことから、急速な分割が進行しました。

この結果、アジアとアフリカで独立を維持しえたのは、日本、中国、シャム（タイ）、ペルシア、オスマン帝国、エチオピア、リベリアの7か国のみとなったのです。

当時の世界において「列強」"Great Powers"と呼ばれる国々が保有する領土は広大で、イギリスやフランスなどは図

【関連年表】

1873	史上初の世界恐慌
	［独占資本の形成強まる］
	［アジアの分割進展］
1884〜85	ベルリン＝コンゴ会議
	［アフリカの分割進展］
1891〜94	露仏同盟
1894〜95	日清戦争
1902	日英同盟
1904	英仏協商
1904〜05	日露戦争
1907	英露協商
1914	サライェヴォ事件。第一次世界大戦開始
1918	第一次世界大戦終結

6に見られる通り、本国の何十倍にもおよぶ植民地を支配していました。

これらの国々は、相互の利害を調整し、他国に対抗するために様々な同盟を結んでゆきました。やがて、イギリス、フランス、ロシアの三国協商に、日英同盟を締結した日本が結びつき、ドイツ、オーストリア、イタリアの三国同盟と対立しました。

（2）第一次世界大戦の特徴

イギリス、フランス、ロシアの三国協商を中心とする連合国と、ドイツ、オーストリア、オスマン帝国、ブルガリアの同盟国との間の戦争は、史上初の徹底的な総力戦となりました。19世紀以来の第二次産業革命によって重化学工業が急速に発展し、機関銃が大量に使用されたことや、毒ガス・戦車・航空機などの新兵器も登場して戦争規模が拡大しました。参戦各国では、ヒト・モノ・カネのすべてを戦線に投入し続けることが求められるようになり、直接前線で戦う兵士だけではなく、銃後で支える女性や子どもまでをも含む人々を動員することが求められました。

図7　1917年、西部戦線に動員され、地図を参照するインドの騎兵連隊

その中でも注目されたのが植民地や従属国のヒト・モノ・カネであり、『世界史リブレット40　帝国主義と世界の一体化』（木谷勤　山川出版社）によれば、イギリスはインドから兵士１１０万人（図7）、労働者40万人、エジプトから50万人、アフリカ植民地から21万人を徴用し、フランスもアルジェリアとモロッコから84万人、仏領インドシナから15万人を連れ出し、これらとは別にクーリー（苦力）と呼ばれた中国人労働者10万人を連合国側の諸戦線で人夫として働かせたのでした。

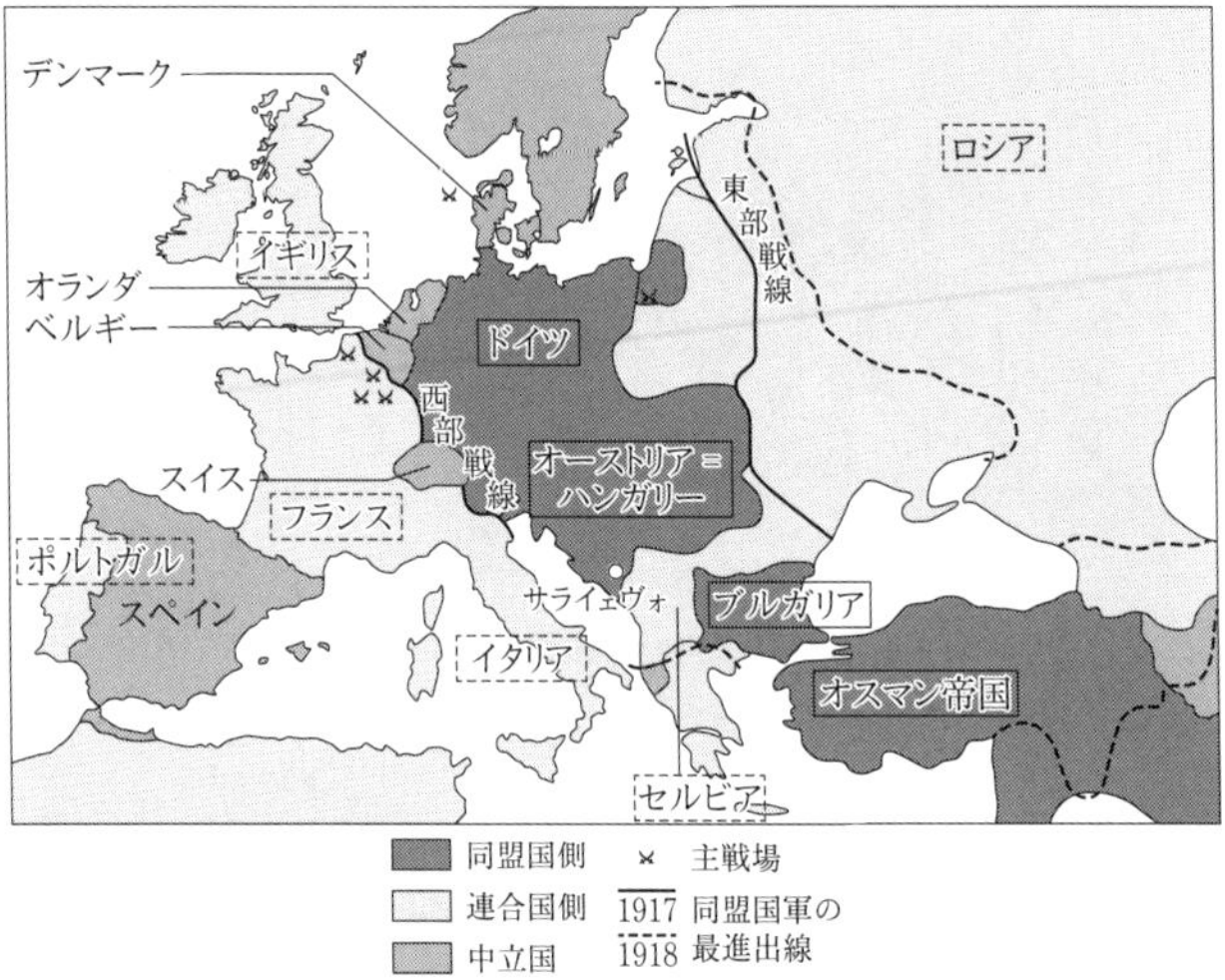

図8　第一次世界大戦中のヨーロッパ

また、戦争はヨーロッパ諸国だけでなく、日本、中国、アメリカ合衆国などアジアやアメリカ大陸の国々が参加し、アジアやアフリカの植民地からの動員がなされたため、文字通りの世界大戦となりました。日英同盟を口実に参戦した日本は、ドイツの勢力圏であった山東半島や南太平洋に軍隊を送って戦闘状態に入ると共に、ヨーロッパ戦線にも若干の軍隊や看護師団などを送っていました。

第一次世界大戦の戦場となったのは、ヨーロッパと西アジア、中国と太平洋、そしてアフリカでしたが、その中でも最大の激戦となったのがヨーロッパの西部戦線と東部戦線です（図8）。特に西部戦線では、１９１４年から18年というわずかな期間に、世界規模でヒトの移動がおきました。

　そして、戦争にともなう栄養状態の悪化と抵抗力の低下があいまって、インフルエンザの流行が始まり、さらに感染した人々が本国にウイルスを持ち帰って、世界的な大流行となる、という経緯をたどりました。図９の表を見ると、最も大きな打撃を受けたのがインドや中国などのアジア地域であり、次いでヨーロッパとアフリカであったことが分かります。私たちは、欧米諸国の植民地で最大の被害が出ていることに注意をはらっておくべきでしょう。この時代には、世界全体の様々な矛盾や問題をアジアやアフリカの地域が背負わされる、という構造が存在しました。

　また、「地域間移動の頻度が増加したこと」に関しては、19世紀以来、蒸気船と蒸気機関車による海上と陸上の交通ネットワークが発達し、世界経済の発展とともにモノとヒトの移動が促

世界全体	4880万人—1億人
アジア	2600万人—3600万人
インド	1850万人
中国	400万人—950万人
ヨーロッパ	230万人
アフリカ	238万人
西半球	154万人
アメリカ	68万人
日本	39万人

図9　スペインかぜ（1918〜19年）による推計死亡者数
『感染症と文明』（山本太郎　岩波新書）より

進されていたことも忘れるわけにはゆきません。この点からすると、先に提示した質問の選択肢のうち（ア）と（イ）にあたる、「スエズ運河の開通」と「パナマ運河の開通」についても、あながち無関係であると言うことはできないかもしれません。

3. まとめ

ところで、山川出版社の『詳説世界史B 改訂版』には次のような記述があります。

「同盟国側・連合国側とも結束を固め、中立国を味方に引き入れるために、戦後の敵領土・植民地の分配を決めた秘密条約を結んだ。また、双方とも自治や独立を約束して植民地や民族独立運動の支援を得ようとした。イギリスは、アラブ民族とユダヤ人国家建設運動の双方に、パレスチナを含む地域での独立支援を約束して協力させ、現在にいたる両者の紛争の原因をつくった。」

第一次世界大戦は、スペインかぜの流行だけでなく、このような諸問題をも生み出すことになりました。

さて、「地域間移動の頻度が増加したこと」を考えるにあたっては、14世紀にはモンゴル帝国を、20世紀初頭の第一次世界大戦では帝国主義による世界分割と総力戦を想起することがそれぞれ大切な観点でした。一つの設問で、14世紀と20世紀におきた伝染病の大流行を「ヒトの移動」という観点で一般化させるという大阪大学の問いかけは、受験生に単なる知識の暗記ではなく、歴史上の出来事の背景にある社会の構造や仕組みを考えさせる良問と言ってよいでしょう。

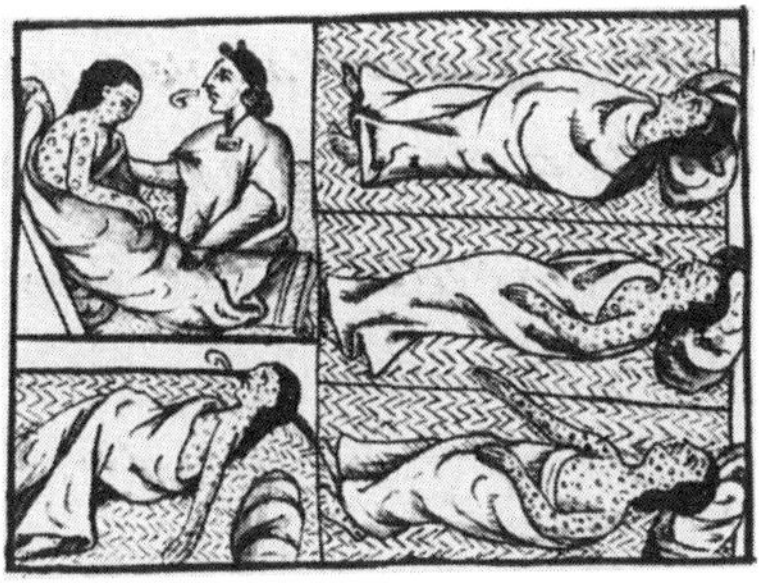

図10　16世紀にアステカ人の間で天然痘が流行した様子。フィレンツェの写本より

なお、アメリカ大陸のアステカ王国やインカ帝国がわずか数百人のスペイン人によって滅ぼされてしまった背景の一つには、インフルエンザや天然痘など、ユーラシア大陸からもたらされた伝染病があったと言われています（図10）。そして、近年では、日本でも東京でのデング熱の感染が話題になりましたし、新型コロナウイルス感染症（COVID-19）は全世界的なパンデミックを引きおこしました。また、アフリカ西部ではエボラ出血熱の広がりが見られたりもします。グローバル化が進んで「地域間移動の頻度が増加」する傾向がさらに強まっている現代において、黒死病やスペインかぜの大流行は、決して人ごとではないと言えるでしょう。

【解答例】
黒死病は、モンゴルによるユーラシアの統一で交易と人の移動が促進されたために流行した。スペインかぜは、第一次世界大戦中に列強の植民地であったアジアやアフリカなどから多くの人々が動員され、帰国したことで世界的に流行した。（１０８字）

世界の歴史は、長い時間と多様な空間の中から紡ぎ出された知恵の宝庫です。本書はそこにアクセスする切り口として、大学の入試問題を利用しています。そこでは、歴史をどのように認識し、分析するかの観点が問われていることから、思考力や表現力を鍛えることができるのです。続く第一章から第五章は、古代から近世に関する論述問題を取りあげることにしましょう。

第一章　文字と帝国——世界をリードしたオリエント

図1
『世界の歴史1　人類の起原と古代オリエント』（渡辺和子ほか　中央公論社）より

今回は書写材料の歴史について考えてみましょう。図1の絵は2005年2月に実施された東京大学の入試問題でも取りあげられたもので、紀元前8世紀のアッシリアにおける壁画の模写です。アッシリアは前2000年ごろより現在のイラク北部で活動を始め、前7世紀の前半にはオリエント全域を支配下におさめた大帝国を建設しました（図2）。

図1には2人の書記が描かれており、左の人物は羊皮紙を、右の人物は粘土板を持って記録をとっています。では、どのような文字を書いているのでしょうか。なお、東京大学の問題では羊皮紙ではなくパピルスとしていますが、ここでは『世界の歴史1　人類の起原と古代オリエント』（渡辺和子ほか　中央公論社）での説明に従って羊皮紙とします。

それはともあれ、どのような文字を書いたかのヒントは、もちろん羊皮紙と粘土板です。よく考えて、正解を次の中から選んでください。

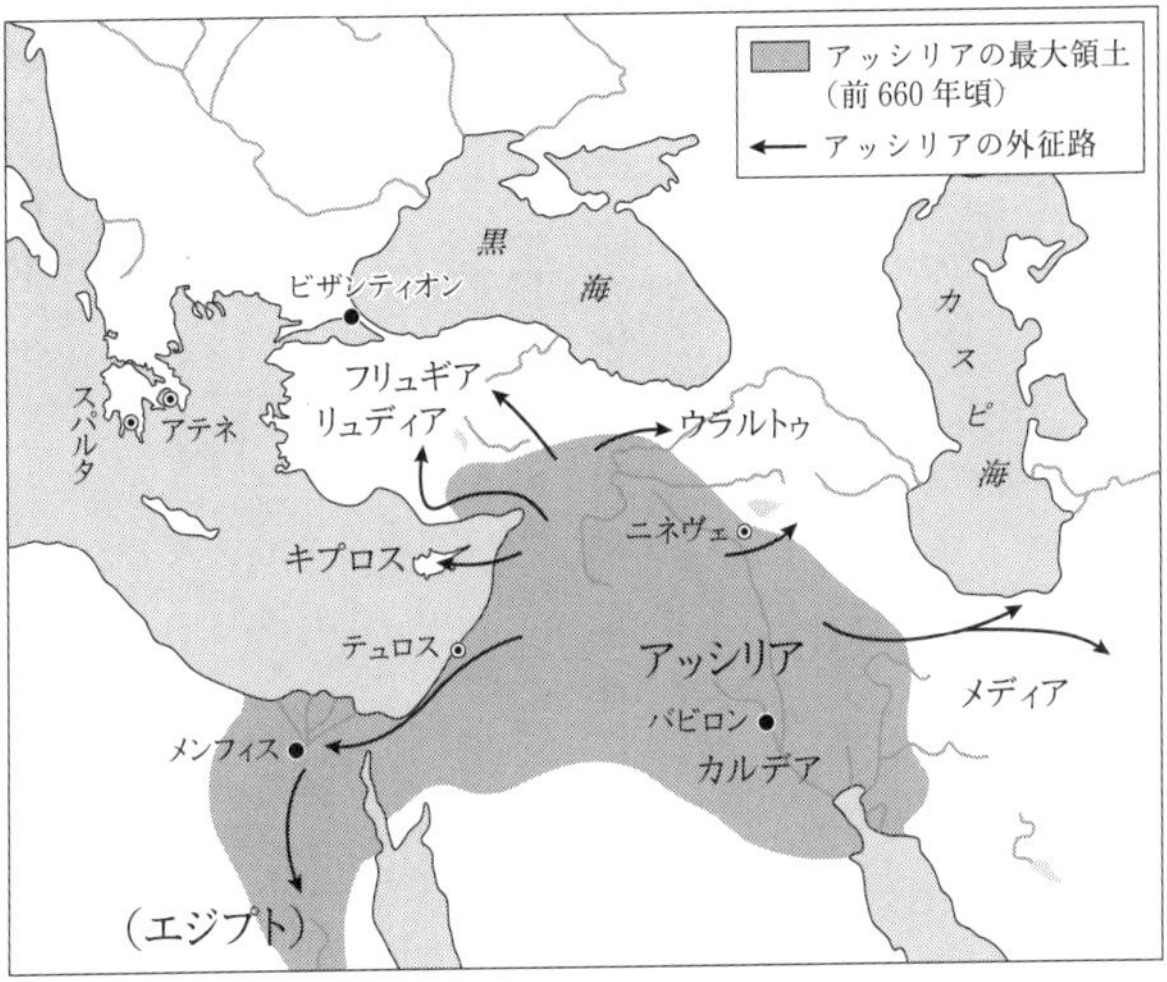

図2　前660年頃のアッシリア帝国とその周辺
『興亡の世界史 01　アレクサンドロスの征服と神話』（森谷公俊　講談社）より

（ア）羊皮紙：楔形《くさびがた》文字
　　粘土板：甲骨文字
（イ）羊皮紙：アラム文字
　　粘土板：楔形文字
（ウ）羊皮紙：神聖文字
　　粘土板：アラム文字
（エ）羊皮紙：甲骨文字
　　粘土板：神聖文字

ちなみに、右の書記が立派なあごひげをたくわえているのに対し、左の人物のあごはすっきりとしていてひげがはえていません。これは宦官《かんがん》であったためですが、逆に言うと、現在も西アジア地域では、成人男性のシンボルとしてひげをはやす習慣があり、それは何千年も前からの歴史を持っているということになるのでした。

さて、２０１１年の大阪大学の入試で、アッシリアよりのちの王朝となりますが、アケメネス朝ペルシア（前５５０～前３３０）についての言語と文字の関係を問う設問が出題されましたので、紹介しましょう。

> 被支配民族の宗教や慣習に寛容であったアケメネス朝ペルシアでは、さまざまな言語と文字が使用された。主要な言語・文字の使用状況について、次の用語をすべて使用して簡潔に述べなさい。ただしその際、どの言語がどの文字で表記されたかに留意すること（80字程度）。
>
> 古代ペルシア語　　楔形文字　　共通語
>
> （大阪大　２０１１年）

これは先ほどの質問にも関係する内容となっていますが、少し難易度が高いかもしれま

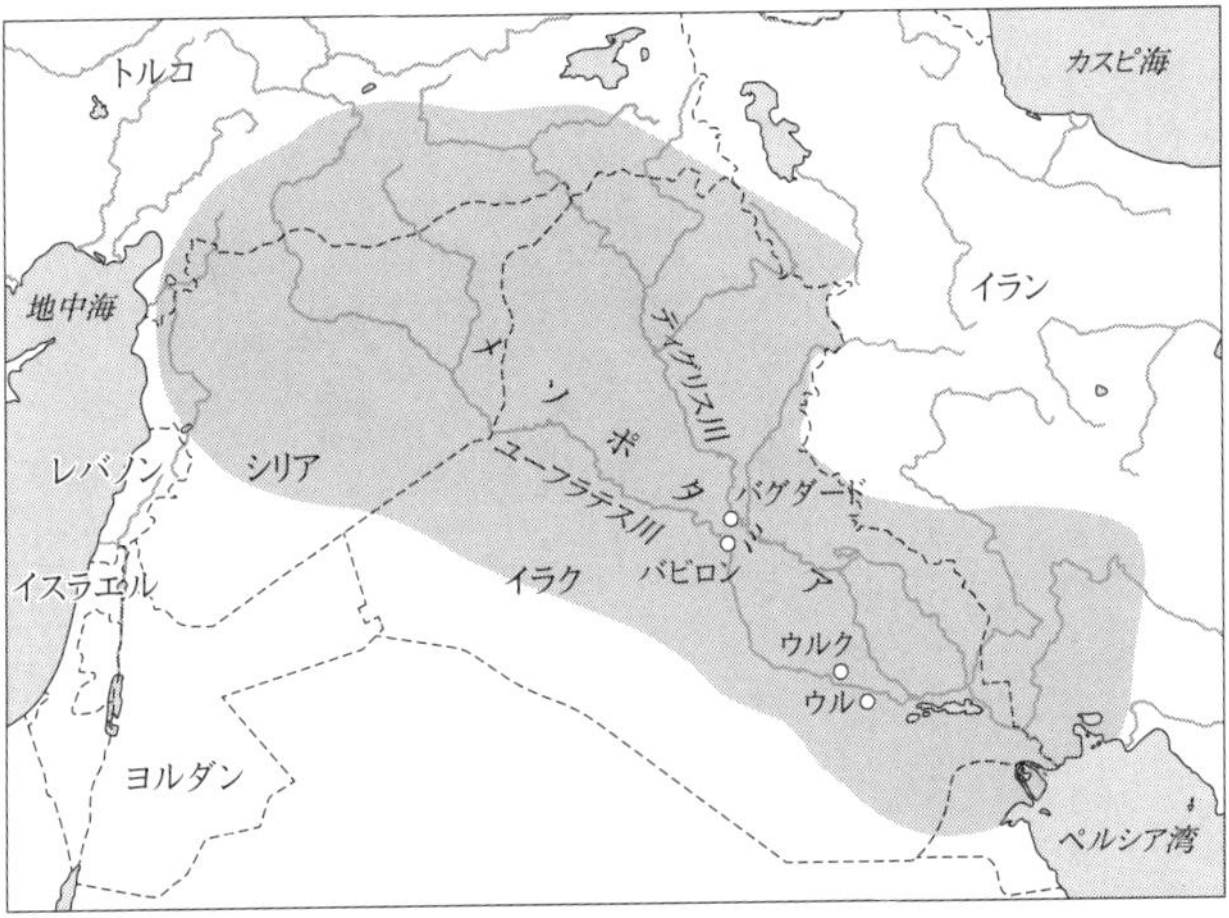

図3　世界最古の文字が生まれたメソポタミア地方

せん。そこで、古代オリエントにおける文字の誕生から説明してみましょう。

1．文字の誕生

世界最古の文字は現在のイラクにあるワルカという場所で生まれました。ティグリス川とユーフラテス川に挟まれたメソポタミア地方が、ほぼイラクと領域的に重なります（図3）。ワルカはメソポタミア南部のユーフラテス川の近くにあります。そう言えば、イラク戦争後の復興を支援するために、日本の自衛隊が２００４年にサマワに派遣されましたが、ワルカはそこから車で１時間ほどのところにあります。当時の名称はウルク、もしくはウヌグでした。

図４　メソポタミアの遺跡から発見されたトークン（右）とブッラ（左）

メソポタミアの遺跡からは、粘土のかけらを複数入れた、粘土製のボールが出土することがあります。粘土のかけらのことをトークン、粘土製のボールのことをブッラと呼びますが、これはいったいなんでしょうか？（図４）

オリエント史の研究者は、これらは家畜などの財産を記録したものと考えており、トークンが文字の原型になったものとも言われています。やがて、ティグリス川とユーフラテス川沿いにふんだんにある粘土を用いた粘土板に文字が書かれるようになりました。それは紀元前３２００年頃のウルクでの出来事と考えられています。ペルシア湾にのぞむ低地地方であるメソポタミア南部では、鉱物資源も石も大きな木もなく、泥だけは豊富に存在しました。そこでメソポタミアでは、泥を固めて煉瓦《れんが》をつくり、家を建て、粘土板を用いて記録を残すという基本構造が形成されます。言ってみるならば、メソポタミア文明とは泥の文明だったのでした。

当初は物体の姿をそのまま描いた絵文字であったわけですが、やがて、粘土板に水草で

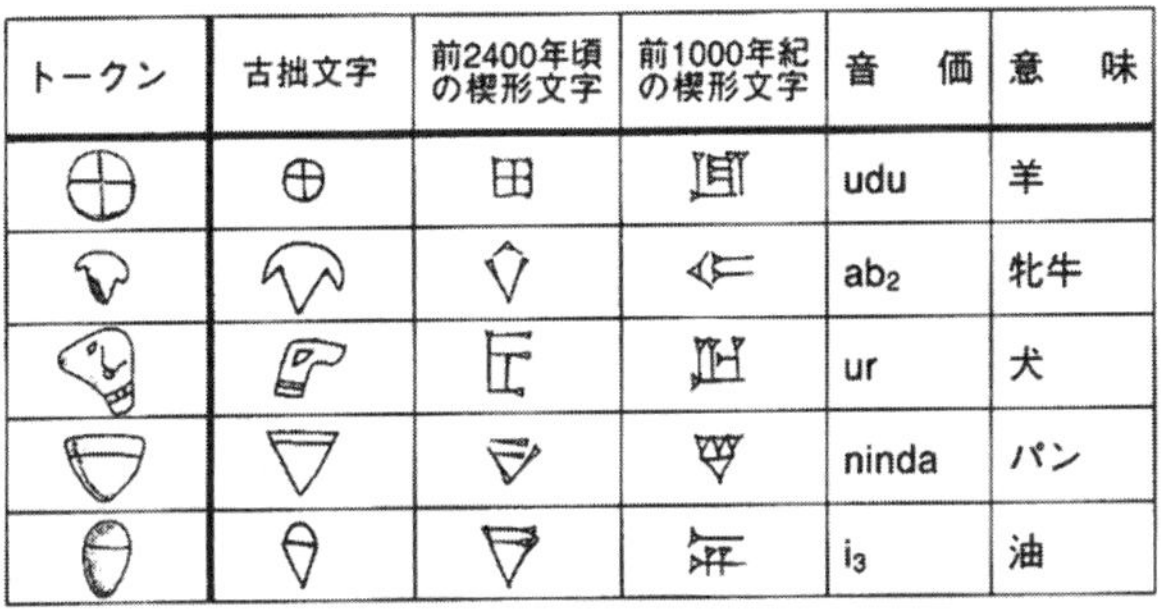

図5　世界最古の文字

『シュメル——人類最古の文明』（小林登志子　中公新書）より

ある葦のペンで刻みをいれてゆくという方法で文字を書くようになりました。刻みの形が楔状であるために、楔形文字と呼ばれる文字が誕生したのです。図5の表にある通り、牝牛や犬などは外見をそのまま文字化しましたが、メソポタミアの人々にとって最も重要な家畜の一つである羊に関しては、肛門の形であらわされています。また、油はいれものである壺の形をかたどったのでしょうか。こうして見てみると、象形文字から発達した漢字と同じような成り立ちをしていることが分かり、親近感を覚えます。

粘土板は持ち運びには重くて不便ですが、書き直しが簡単にできること、そして焼きを入れれば半永久的な保存もできることなど、利点も大きかったと考えられます。ウルクの都市国家を形成したメソポタミア南部のシュメール人によって生み出された楔形文字は、その後オリエント世界全域に広がり、様々な言語を記録する媒体となりました。シュメール語、アッカド語、ウガリト語、ウラルトゥ語、エブラ語、エラム語、古代ペルシア語、ヒッタイト語、フリ語などはいずれも、発音や文法は異なるけれども、粘土板に楔形文字を使って記録する、という点では共通していました。使われる言語が異なっても、書写される文字は楔形文字を利用するというオリエントの方式は、私たちにとってもなじみ深い、中国語や日本語、朝鮮語、ベトナム語などと言語が異なっても、漢字を利用して表記するという東アジア世界における方式と共通しています。自分たちが話す言葉を書き記すため、先行する文明で生み出された書写材料や文字を利用するこの方法は、例えば古代の日本で中国の漢字を借りて木簡や布などに「万葉仮名」を書いたこととよく似ています。

なお、メソポタミアを最初に統一したアッカド人の言語であるアッカド語は、オリエント世界の共通語となり、のちにアムル人（アモリ人）の建てた古バビロニア王国で編纂《へんさん》された有名な『ハンムラビ法典』もアッカド語で記されていました。次に、『ハンムラビ法典』の中の同害復讐の原則をうたった、有名な一節を掲げておきましょう（図6）。

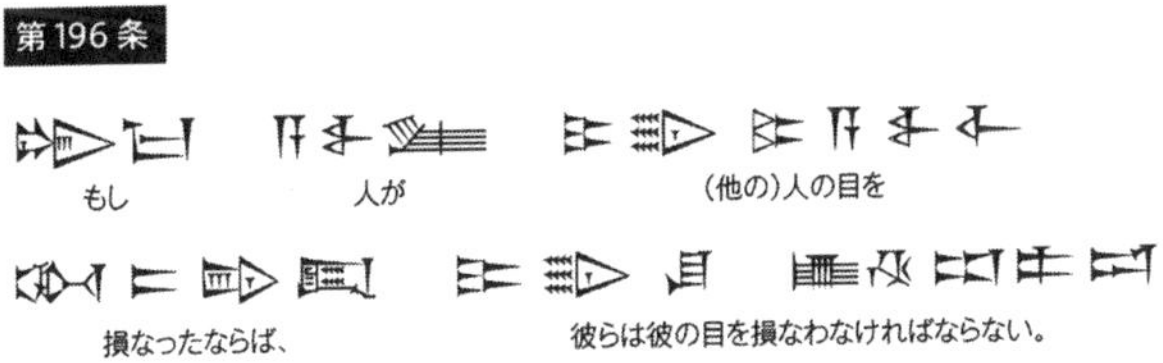

図6　『ハンムラビ法典』の一節

『NHKカルチャーラジオ　歴史再発見　楔形文字がむすぶ古代オリエント都市の旅』（小林登志子　NHK出版）より

2. アラム文字

シリアの砂漠地帯からメソポタミアに向かう遊牧民の定住運動がおこるなか、紀元前11世紀初頭までにセム系のアラム人が大きな勢力を持つようになりました。その背景としては、従来の遊牧民と異なって、史上初めてラクダを放牧していたことがあげられます。アラム人たちは、このラクダを使った隊商貿易をおこなって、オリエント世界の内陸貿易の中心的な勢力となりました。シリア地方に勢力を拡大し、ダマスカスを拠点として繁栄しました。

この結果、シリアやエジプトからイラン高原にまでおよぶ、オアシスを中心とした隊商都市のネットワークと商慣習を確立し（図7・次ページ）、この地域に交易のための共通言語としてのアラム語が広まることになりました。

アラム語は北西セム語の一派で、フェニキア文字を母体と

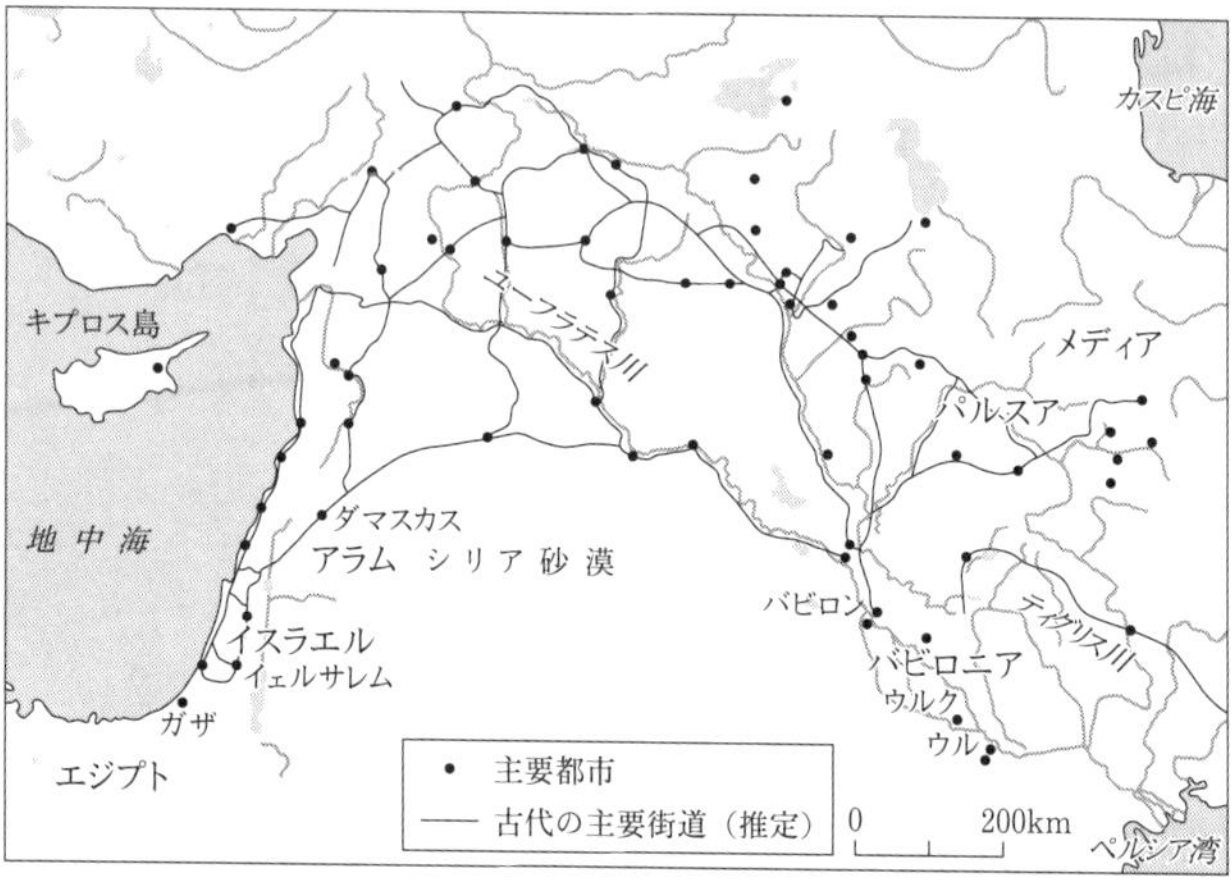

図7　紀元前1千年紀のメソポタミア主要都市と街道

『メソポタミア文明入門』（中田一郎　岩波ジュニア新書）の原図を元に一部改稿

する22の子音からなるアルファベットで表記します。このアラム文字は紀元前9世紀の碑文には見られるようになります（図8）。アラム語はとりわけアッシリア以後において、商業用語・外交用語として普及し、従来のアッカド語と共にオリエントの公用語となり、やがてアッカド語に取ってかわるようになります。のちにパレスチナで生まれ育ったイエスも、アラム語を日常語として使っており、人々に自分の考えを伝える時にもアラム語を利用していました。

　アッカド語からアラム語へと共通語がうつっていった背景としては、両者ともにセム語系でしたが、音節文字を使う複雑なアッカド語の楔形文字よりも、22の単音文字で表記されるアラム語の方が便利であったことがあげられます。もっとも、アッカド語が忘れられたわけではなく、その後も粘土板を利用した楔形文字でアッカド語が利用され続けたことが分かっています。

さて、アッシリアの公的記録はすべてアッカド語とアラム語の2言語でとられるようになり、2人の書記がそれぞれアッカド語を粘土板に楔形文字で、アラム語を羊皮紙やパピルスにインクで書きしるしました。のちになると、2人の書記は、携帯用として小型の木製の板（蝶番《ちょうつがい》付き）に蠟《ろう》を塗ったもの（アッカド語でレウムと呼ばれます）を書きとめる道具（メモ帳）として使用するようになり、本拠地に戻ってから正式な記録としてそれぞれ粘土板と羊皮紙に書き写して保管されたと考えられています（『岩波

図8　前8世紀頃、アッシリア時代のアラム文字刻文
『世界の文字の図典　普及版』（世界の文字研究会編　吉川弘文館）より

講座　世界歴史2　オリエント世界』岩波書店所収「アッシリアの自己同一性と異文化理解」渡辺和子参照)。

従って、本章冒頭（28ページ）の質問の答えは（イ）となります。

残念なことに、羊皮紙やパピルスは数千年の歳月の中で失われてしまいましたが、オリエントの遺跡からは、多くの粘土板が発掘されています。持ち運びには不便でしたが、記録の保存という点で粘土板の優位性が発揮されたのです。特に都市や国家が滅ぼされて焼き打ちされたことで、粘土板の保存に有利になった例もあったようです。現在発掘されているこれらの粘土板は数十万点にものぼり、その多くが未解読となっていることから、今後オリエントの歴史の解明はさらに進むものと思われます。

もう一つ興味深い話を紹介しましょう。アラム文字はフェニキア文字の影響を受けたと書きましたが、そのおおもとはと言うと、なんとエジプトの神聖文字にさかのぼります。絵文字であった神聖文字から意味が失われていって発音だけがとられるようになり、シナイ文字へと変化します。そこからフェニキア文字が生まれて文字は表音文字化（アルファベット化）しました。それを受けて、アラム文字が生み出されたというわけです。ユーラシア大陸の西部から中央部と北部にかけて広がる諸文字のルーツはフェニキア文字とアラ

図9　アケメネス朝ペルシアの領土

『世界の歴史4 オリエント世界の発展』（小川英雄・山本由美子 中央公論社）の原図を元に一部改稿

ム文字ですが、それをさらにさかのぼると古代エジプトの文字にたどりつくのでした。

3．アケメネス朝

イラン高原でインド＝ヨーロッパ系のペルシア人が力をつけ、前550年にキュロス2世がアケメネス朝ペルシア（図9）を建てました。キュロスはイラン高原のメディアを滅ぼし、ついでアナトリア（現在のトルコにほぼ相当）のリュディア（リディア）とメソポタミアの新バビロニアを滅ぼして広大な領域を統治しました。また、第2代のカンビュセス2世はエジプトをも征服して、ここに全オリエントの統一が達成されました。第3代のダレイオス1世

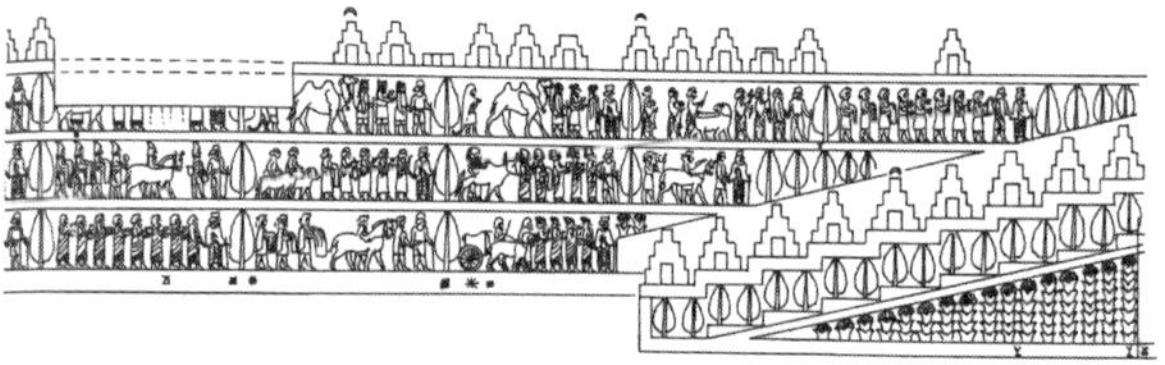

図10　ペルセポリスの宮殿のレリーフ部分図。様々な民族が朝貢に訪れる様子が描かれている
『岩波講座　世界歴史2　オリエント世界』岩波書店所収「ハカーマニシュ朝ペルシアの交通・通信システム」（川瀬豊子）より

の時には、東はインダス川流域から中央アジア、西はエーゲ海の北岸にまでおよぶ大帝国へと発展しました。

ダレイオス１世は帝国全土を約20の州に分け、サトラップと呼ばれる総督を任命して税を徴収するいっぽう、「王の目」「王の耳」という監察官を派遣して監視しました。行政の中心都市スサからアナトリアのサルデスにいたる約２４００キロメートルにもおよぶ「王の道」を建設して、駅伝制を整備します。また、服属した諸民族に対しては、軍役や一定の納税や貢納などの義務を果たせば、それぞれの宗教や慣習を認める寛容な統治がおこなわれていたのです。図10は、ダレイオス１世が建設した都市ペルセポリスの宮殿のレリーフの部分図です。

エジプト人、サカ人、イオニア人、ドランギアナ人、アッシリア人、カッパドキア人、アレイア人、バビロニア人、リュディア人などが朝貢に来ている様子が描かれていますが、実際にはこれ以外にも、ヌビア人、リビア人など20以上の諸民族が浮き彫りされているのです。

アケメネス朝はほとんど記録を残さなかった王朝で、その実態を知る手がかりとしては、ギリシア人のヘロドトスが書いた『歴史』などを参照するのが重要です。とは言え、それはギリシア人の側から見たアケメネス朝の姿であるため、一定のバイアスがかかっていることに注意を向ける必要があります。また、本来ペルシア人の王朝であるのに、ギリシア語読みのアケメネス（アカイメネス）朝と呼んでいるのは、そろそろ卒業して良い頃かもしれません。将来的にはペルシア語風にハカーマニシュ朝と学校の教科書などに記述される日もやってくることでしょう。

もっとも、当のペルシア人たちは、そのようなことにあまりこだわってはいなかったかもしれません。ダレイオス1世（ペルシア語ではダーラヤワウ1世）がつくらせたベヒストゥーン（ペルシア語ではビーソトゥーン）の碑文には、エラム語、アッカド語、古代ペルシア語の3言語が併用され、いずれも楔形文字で記されています。

アケメネス朝のダレイオス1世は、支配者であるペルシア人の母語であり、楔形文字であらわす古代ペルシア語を公式の文書や碑文などで使用しました。しかし、同時にというよりは実際には、帝国の公用語としてアラム語を採用し、王や地方総督であるサトラップ、そして高官のもとにはアラム語に通じたバイリンガルやトリリンガルの書記が配属されたそうです。

先に見たとおり、王の碑文には楔形文字による古代ペルシア語、エラム語、アッカド語が使われ、時にエジプトの神聖文字が使われることもありました。そしてその写しはアラム語に翻訳されて、羊皮紙やパピルスに転記されて各地に広められたのです。アケメネス朝では、古代ペルシア語やエラム語、アッカド語などのさまざまな言語を楔形文字で記録する行政事務がなされていました。そして、粘土板や石に刻まれる楔形文字は半永久的な保存の文書に用いられ、そのいっぽうで情報の普及と伝達のためには、持ち運びやすい羊皮紙やパピルスに西アジアの国際共通語であるアラム文字を記して利用したのでした（『岩波講座　世界歴史2　オリエント世界』岩波書店所収「ハカーマニシュ朝ペルシアの交通・通信システム」川瀬豊子参照）。

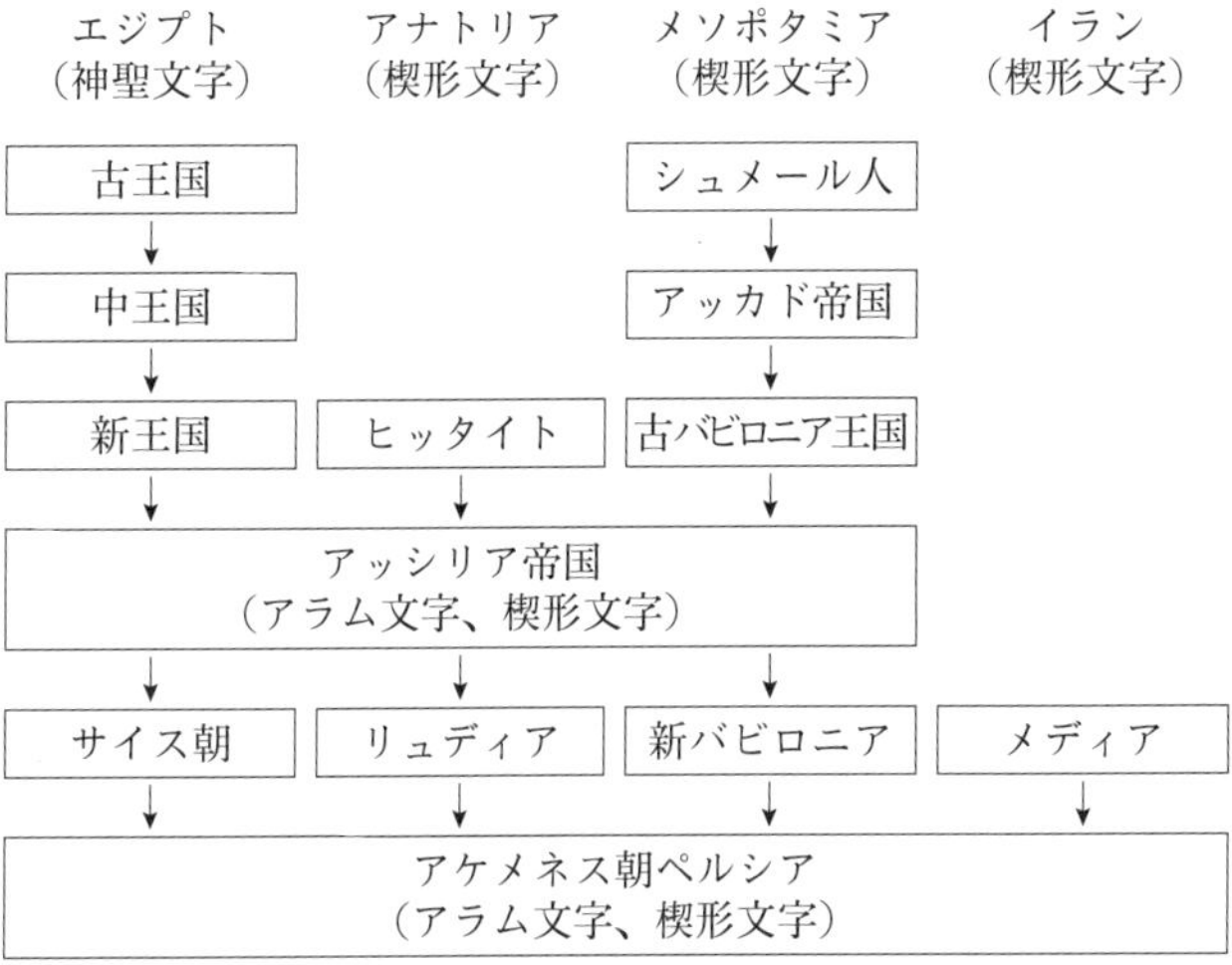

図11　オリエントを中心とする地域の興亡と文字の継承図

4. まとめ

図11は、国家形成がなされてのちのオリエントを中心とする地域の興亡と文字の継承図です。メソポタミアとエジプトで生まれた文化と文明が、それぞれ楔形文字、神聖文字（それが姿を変えたアラム文字）を通して各王朝に継承され、まずはアッシリアに、そして最終的にはアケメネス朝に流れ込んでいる様子をつかんでみて下さい。

　ということで、少々専門的な本からの引用となりますが、アケメネス朝時代の言語と文字に関しては、つぎのようにまとめることができるでしょう。

【関連年表】

前 7000 頃	農耕開始
前 3500 頃	メソポタミア南部で都市化
前 3200 頃	ウルク古拙文字（絵文字）使用 ［シュメール人の都市国家建設］
前 2330 頃	アッカドのサルゴンによりメソポタミア統一
前 1792	古バビロニア王国でハンムラビ即位
前 11 c 頃	アラム人の活動活発化
前 671	アッシリアによりオリエント統一
前 550	アケメネス朝建国
前 525	アケメネス朝、エジプトを征服してオリエント統一
前 522	アケメネス朝、ダレイオス 1 世即位

「〈引用者注：ベヒストゥーン（ビーソトゥーン）〉碑文の言語は当初、エラム語のみであったが、のちに浮彫の追刻の際、アッカド語と古代ペルシア語が付け加えられた。古代ペルシア文字は、この頃、作られたとみてよい。ただし、古代ペルシア文字は王碑文用であって、日常の行政用語として最も広く使われたのは、アラム語であった。メソポタミア文明を支えてきた楔形文字によるアッカド語でもなく、エラム・ペルシア圏の伝統的な文化語エラム語でもない言語アラム語が、主たる行政用語として用いられるようになったことは、古い時代からの変化を示している。」

「なお、ハカーマニシュ朝では、地方独自の文字・言語の使用に制限を加えていたことはなく、アッカド語も多くの文書が発見されているし、エラム語も前五世紀まではペルセポリスの王室経済文書（城砦文書・宝蔵文書）に使われていた。その他、地方的な公碑文や文書には、古代エジプト語、リュキア語、リュディア語、ギリシア語、フェニキア語などが用いられ、史料が残されている。」

（『岩波講座　世界歴史2　オリエント世界』岩波書店所収「イラン系王朝の時代」春田晴郎）

アケメネス朝では、今から２５００年以上も前に多言語・多文化・多民族の国家が形成されていて、これが２０００年以上にわたるオリエントの大統一を可能とした背景の一つであったと考えることができます。

グローバルに世界がつながる現在、古代のアケメネス朝と同様、私たちもそれぞれの母語と文字、そして事実上の共通語である英語とアルファベットを駆使しなくてはならない時代に住んでいます。古代のペルシア人と同じように、私たちもそれぞれのローカルに根ざしながら、グローバルな視点を忘れないようにしたいものです。

【解答例】

ペルシア人の建てたアケメネス朝では、公用語である古代ペルシア語を楔形文字で粘土板に、オリエント世界の共通語であるアラム語をアラム文字で羊皮紙などに記入して使用した。（82字）

第二章　ギリシア民主政のダークな起源

図1

図１の写真をご覧ください。これは古代ギリシアにおいて、前5世紀半ばの大理石に刻まれたレリーフです。いったい何が描かれているか分かりますか？

そうです、これは古代ギリシアの三段櫂船《かいせん》と呼ばれる軍艦の絵です。船の長さは約45メートル、幅は約5メートル、乗組員は約２００名でした。その内訳は艦長１名、漕ぎ手が１７０名、搭乗戦闘員10名、弓の射手４名、操船担当の船員15名程度だったようです。

一見して興味深いのは、搭乗員のほとんどが漕ぎ手であり、戦闘員はごくわずかしかいなかったということです。では、わずか10名の戦闘員でどうやって敵艦と戦うのでしょうか？

問題ありません。というか、実は搭乗員２００名のうち、ほとんどすべてが戦闘員であったと言って良いのです。この時代の海の戦いは、図2の皿の絵に見られるように、船の先に設けられた青銅製もしくは鉄製の衝角《しょうかく》と呼ばれるツノを敵船にぶつけて穴を開け、沈没させるという「体当たり戦法」がとられていたからでした。したがって、敵船よりも速

図2　6世紀後半のアッティカ製の皿の一部。三段櫂船の軍艦（右）が運送船（左）を追跡する様子が描かれている

『世界史大系4　ギリシアとローマ』（村川堅太郎編　誠文堂新光社）より

く動いて体当たりすることが求められたため、オールの数を増やすことになったのです。つまり、三段櫂船の漕ぎ手である170名は、すべて戦闘員であると言うことができるのでした。

さてそこで質問。この三段櫂船が古代ギリシア、とりわけアテネの歴史にどのような影響を与えたのでしょうか？

この質問に答えるために、首都大学東京（現・東京都立大学）で2011年に出題された短い論述問題に注目してみましょう。

アテナイ（アテネ）では、前6世紀の初めに行われたソロンの改革が奴隷制発展の出発点となる。これ以後、アテナイにはギリシャ世界の周辺地域から非ギリシャ人の奴隷が大量に輸入されて、みずから農耕に従事する中小農民のもとにおいて、補助労働力としての少数の奴隷所有が広く普及する。奴隷制の導入によって農業労働からある程度解放された広範な農民の存在が、その後の［ａ］の実現を可能としたのである。

傍線部について、ソロンの改革のどのような措置が、その後のアテナイにおける奴隷制の展開に大きな影響を与えることになったのか、１００字以内で説明しなさい。また、空欄［ａ］に適切な語句を入れなさい。

（首都大　２０１１年）

１．ソロンの改革

この設問で問われているのは、ソロンの改革の内容と、空欄［ａ］と奴隷制との関係についてです。

首都大学東京には、その前身の一つである東京都立大学の頃に太田秀通氏という古代ギリシア史の大家がいましたが、２０１１年当時、その弟子にあたる前沢伸行氏が古代ギリシア史の研究をおこなっていました。したがってこの設問は前沢氏の出題になるものと考えられます。前沢氏はここで、奴隷制と空欄［a］との関連について受験生の理解を問うていることになります。

世界史の教科書に必ず載っているソロンの改革について、現在使われている世界史の教科書では、次のように説明しています。

「イオニア人のポリスであるアテネ（アテナイ）では、前6世紀はじめ、ソロンが貴族と平民の対立の調停にのりだした。彼は、身体を抵当とする借財の禁止および負債の帳消しにより平民の奴隷への転落を防止するとともに、財産の多少に応じて国政参加の権利義務を定めた（財産政治）。しかし、貴族と平民の抗争はおさまらず、やがて平民の不満を背景に、貴族を抑圧して独裁政治を行う僭主《せんしゅ》があらわれた。」

（『世界史B』東京書籍）

アテネはポリスと呼ばれる都市国家でしたが、当初は少数の貴族が政治権力を独占していました。彼ら貴族が、ギリシアでは入手することの難しい馬に乗り、高価な武具を身に

図3　前7世紀の壺に描かれた重装歩兵密集部隊

着けてポリス防衛の中心となっていたからです。しかし、「身分闘争」と呼ばれる貴族と平民の争いの中で、平民が政治参加を徐々に実現してゆくのです。

　中小農民でもある平民たちは、貨幣経済の進展と共に経済力をつけ、兜《かぶと》や胸当て、すね当てなど金属製の武具を自弁して重装歩兵となり、2メートル近い槍を敵に突きつけるファランクスという密集隊形の戦術をあみだします（図3・4）。肩と肩が触れ合うほどに密集した隊形をとって、重武装した防具で身を守りながら敵への突撃を繰り返す戦術は破壊力があり、ポリス防衛の主力となってゆきました。となれば必然的に、力を見せつけられた貴族たちも平民に一定の権利を与えなくてはならなくなったのです。

　ところがここに問題が生まれます。武具や遠征費用などは自弁であったため、長期の従軍などによって借金がかさんで没落する平民も生まれ、土地を手放して奴隷身分に転落する者があらわれたのです。

　借金を返済できない者は土地を債権者に差し押さえられ、毎年生産物の6分の1を納めなくてはなりませんでした。そしてそれすらも払えなくなった者や、はじめから身体を抵当として借金をおこない返済できなかった者は、当時の慣習法によって奴隷として外国に売られていったのです。

一般に、「ソロンの改革」と言われるものの内容は、〔1〕負債の帳消し、〔2〕債務奴隷の禁止、〔3〕財産政治の3点をあげることができますが、ここではそのうちのどれを指摘すべきなのでしょう。

設問文では「その後のアテナイにおける奴隷制の展開に大きな影響を与えることになった」とあるので、〔1〕の負債の帳消しと〔2〕の債務奴隷の禁止を取り上げると良いでしょう。

設問文からも読み取れる通り、アテネなどの古代ギリシアにおいては、中小の農民が重要な役割を果たします。先に述べたように、彼らは重装歩兵となって

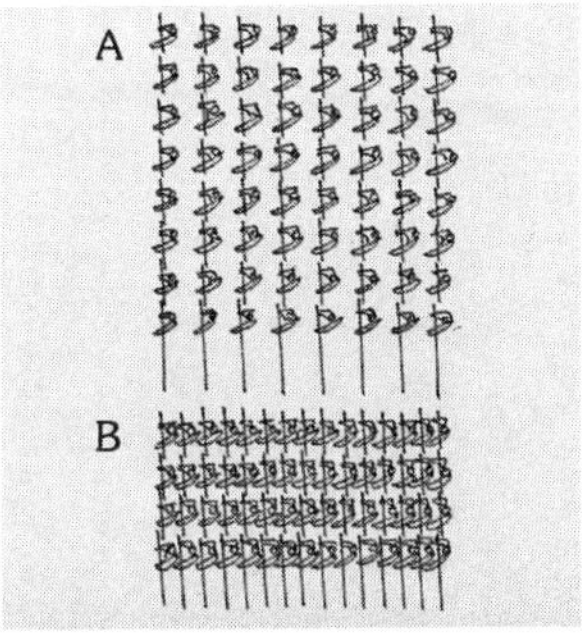

図4　重装歩兵のファランクス戦法の図。軍中の縦にのびた散開隊形（A）から横に広がる密集隊形（B）へ、すばやく隊形を組み直し、戦闘を有利に進めた
『ニュートンムック　古代遺跡シリーズ　古代ギリシア』（ジョヴァンニ・カセッリ監修　教育社）より

アテネの国防の中心となっていきました。しかし、負債がかさんで武具の自弁や遠征費用の捻出ができなくなると、彼らは重装歩兵としてポリスに貢献することができません。さらに進んで、負債の結果として奴隷身分に転落する中小農民が増えてしまうと、ポリスの防衛力が低下してしまいます。

そこで、アテネの執政官となったソロンが改革をおこないました。それは、中小農民、すなわち平民の没落による国防力の低下を防ぐための改革だったのです。

「いたるところに立てられた抵当標を引き抜き、土地を隷属の状態から自由にした」とソロン自身が詩に歌っています（村川堅太郎『世界の歴史2　ギリシアとローマ』中公文庫）。また、『ギリシアとローマ』では、「『重荷おろし』によって一挙に、自由な小農民の階級が市民のなかで確固たる地位を占めたうえに、市民同士の貸借関係から市民が奴隷となる危険は永久になくなった。市民と奴隷とはここにはっきり別の身分とされ、市民共同体の枠はここに確立した」と指摘しています。

いっぽう、古代ギリシアと古代ローマは、世界の歴史において奴隷制度が典型的に発展した時代であると言われています。アテネの中小農民を奴隷としてリクルートすることが禁止されたことにより、労働力を新たな奴隷に求めたのです。

設問文にもみられる通り、この改革は二つの影響をアテネに及ぼしました。一つは、奴隷の調達先を没落した平民ではなく異民族としたことにより、その後、奴隷制が発達したこと。そしてもう一つは、農業労働からある程度解放された広範な農民たちが、その奴隷制を基盤とした民主政を発展させた、ということです。したがって、空欄 a の答えは民主政となります。では、古代ギリシアにおける民主政はどのように展開したのでしょうか。

図5　アテネのアゴラとアクロポリス（復元模型）

2. 古代民主政の発展と課題

ここでは、古代ギリシアの代表的なポリスであるアテネ社会の変遷について歴史的にまとめてみましょう。

前8世紀ごろより、有力貴族を中心にいくつかの集落が集まって、アクロポリス（城山）を中心に都市国家であるポリスが形成されました（図5）。アクロポリスは戦いにおける最後の砦《とりで》となることで軍事の中心であると同時に、ポリスの守護神を祭る神殿が建てら

図6　アテネの黒像式陶器

れるなど、宗教と信仰の中心として神聖な場所でした。いっぽうアゴラと呼ばれる広場には、市場が開かれ、裁判所や会議場なども設けられたため、市民の生活の中心であると同時に政治の中心でもありました。

　市民たちは城壁の外に農地を保有する中小農民が大多数で、少数の奴隷と共に自らの農地を耕作していました。

　ところで、アテネでは工業と商業が発展したと言います。では具体的にどのような工業製品を製造していたのでしょうか。それは、ワインとオリーブオイル、そして陶器や武器などでした。ワインやオリーブオイルは農業生産品ではないのか?と考えそうですが、収穫されたブドウやオリーブを加工して、ワインやオリーブオイルを作り出すのはれっきとした工業です。また、それらの製品を入れた陶器の壺も工業製品でした。図6の写真は赤地の陶器に黒で絵を描いた黒像式と呼ばれる壺で、芸術品としても一級の価値を持つものです。アテネはこのような製品を輸出することで収入を獲得し、不足する穀物などの農業生産品を輸入しました。

（1）ドラコン法とソロンの改革

やがて、経済力をたくわえた平民と貴族との間に「身分闘争」と呼ばれる参政権要求の運動がおこります。歩兵の密集隊形による重装歩兵戦術によって国防を担うようになった平民たちは、貴族によって独占されていた政治への参加を求めます。前7世紀後半になると、ドラコンによって従来の慣習法が成文化され、法が平民にも開放されます。

そして先ほど述べた前５９４年のソロンの改革。これにより、平民たちが借金の結果として奴隷身分に転落することを防止しました。さらにソロンは土地を基準とする財産に応じて市民を4等級に分け、アテネの主要な官職は上位2等級の者だけが就くことができるとする、財産政治をおこないました。政治への参加は生まれや身分ではなく、財産によって決まるとするこの改革は、一部の平民が貴族と並んで経済力をつけてきたことの反映であると考えられます。いずれにしても、財産の多寡《たか》による差別はあったものの、最下層の人々も奴隷に転落する危険がなくなって地位が保障され、アテネの市民であれば自由を奪われないという原則が成立したのでした。

（2）ペイシストラトスの僭主政とクレイステネスの改革

僭主とは非合法的な手段を通じて強力な政権を打ち立てた者のことを指しますが、前6世紀半ばに僭主となったペイシストラトスは、亡命貴族の土地を没収して貧しい農民たちに分配したと言われています。これにより中小農民の生活は安定し、のちに民主政治の担い手となる人たちが力をつけてゆきました。その後、ペイシストラトスが死ぬと、非合法な手段で独裁的な権力をふるった僭主政治は打倒されました。

図7

そこで、アテネの名門貴族出身のクレイステネスがリーダーとなり、改革をおこないます。従来の血縁による4部族制を、地域ごとのまとまりによる10部族制へと再編成し、市民はいずれかの部族に所属することになりました。市民たちはそれぞれの部族のもとで戸籍登録され、地方自治の担い手となって民主政への準備がなされてゆきます。

ところで、図7の写真は何か分かりますか？

先ほど紹介したアテネの主要輸出品目がヒントです。そうです、これはオストラコンと呼ばれる陶器のかけら（陶片）です。アテネでは、ワインやオリーブオイルを入れる器として、また繊細な絵を描きこんだ工芸品として壺を輸出していました。そのためアテネには陶器のかけらがふんだんにありました。そこでこれを利用して、陶片追放（オストラキスモス）という制度を導入したのもクレイステネスでした。これは、僭主となる恐れのあるものを投票によって10年間国外追放とする制度で、この陶器のかけらは今から２５００年以上も前の「投票用紙」ということになるのでした。

クレイステネスの一連の改革によって、アテネにおいて民主政の基礎が定まったと言うことができるでしょう。

（3）ペルシア戦争　その1

古代ギリシアにおける民主政治にとって、アケメネス朝ペルシアとの戦争は重要なきっかけをもたらすものとなりました。アナトリアのイオニア地方におけるミレトスなどギリシア人のポリスによるアケメネス朝への反乱がおこると、ミレトスを支援したアテネなどに対してアケメネス朝のダレイオス1世が遠征軍を派遣しました。前４９０年にはマラソン競技の語源とも言われるマラトンの戦い（図8・次ページ）で、ミルティアデス率いるアテネとプラタイアの連合軍がアケメネス朝の遠征軍を撃破しました。この時「満月まで

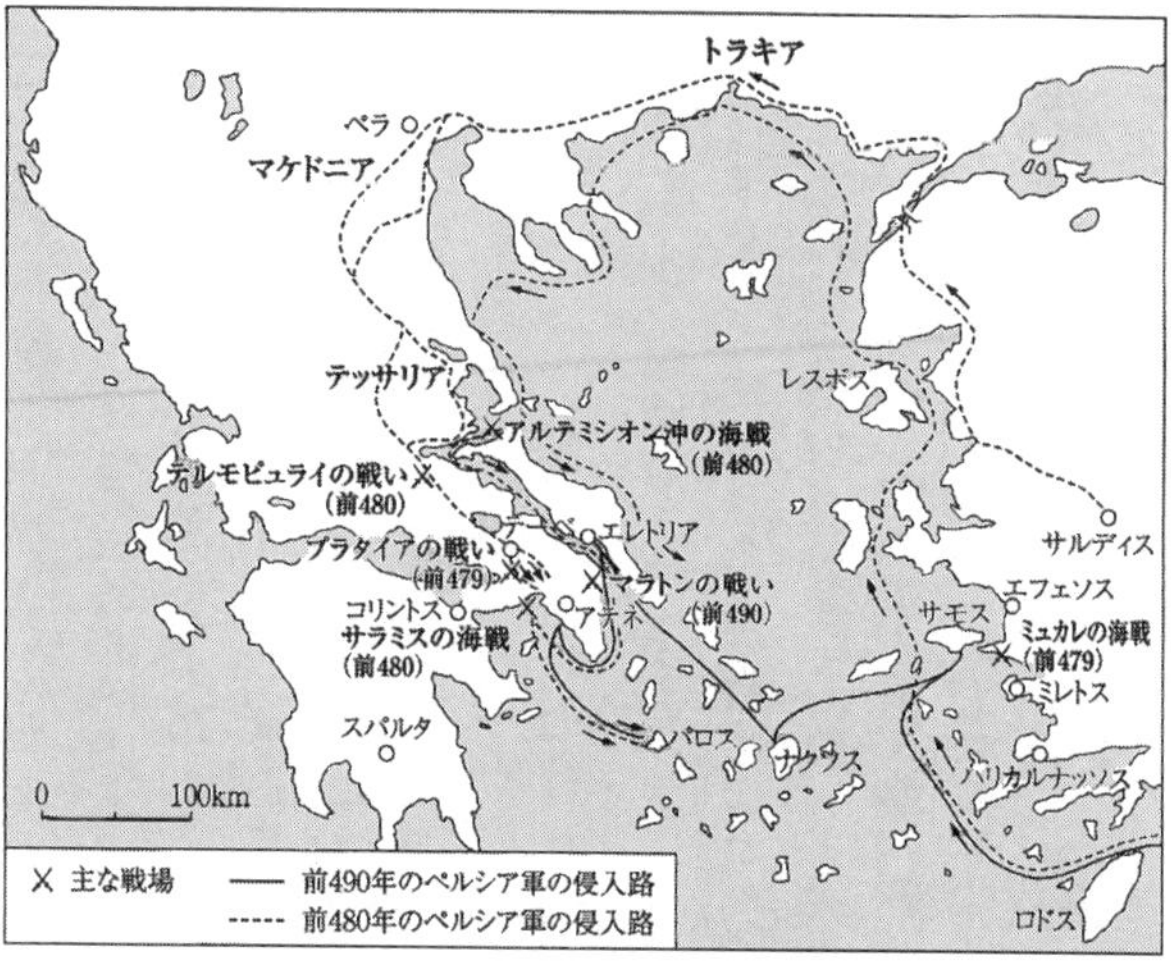

図8　ペルシア戦争の主な戦場

『アテネ民主政　命をかけた八人の政治家』（澤田典子　講談社選書メチエ）より

出動してはならない」という掟《おきて》があったギリシア最強のスパルタ軍は間に合わず、スパルタ抜きでアケメネス朝に勝利したことは、アテネの名声を高めることに貢献したと考えられます。

（4）ペルシア戦争　その2

前480年にアケメネス朝の侵攻を再び受けたギリシア世界は、テルモピレーの戦いでスパルタ兵300人がレオニダス王と共に全滅しました。アケメネス朝の陸軍がギリシア各地を征服し、アテネのアクロポリスをも支配下におさめてパルテノン神殿を略奪・破壊したころ、アテネは海上での戦いに活路を見出そうとします。

この時活躍したのが冒頭に紹介した三段櫂船で、テミストクレスの指揮下で約200隻の連合艦隊がつくられていました。三段櫂船の乗組員は1隻に200名でしたから、約4万人もの市民が必要です。アテネ市民全員が乗り組んでも足りないほどだったので、在留外国人や他国からの応援などを得て、兵士を調達したものと考えられます。テミストクレスは逃走すると見せかけて、アケメネス朝の大艦隊をサラミス水道という狭い海峡に誘い込み、挟み撃ちにして撃退するという戦法をとりました（図8）。

さて、大切なのはここからです。先ほどのマラトンの戦いではアテネの重装歩兵軍団が活躍しました。これに対してサラミスの海戦では三段櫂船の漕ぎ手たちが活躍しました。市民総出で軍船に乗り込んで漕ぎ手となって戦ったのです。恐らく一日中漕ぎ続けたことでしょう。そして、漕ぎ手たちには、重装歩兵になるための武器や武具は一切必要ありません。財産を失った貧しい市民たちでも、ポリスを守るための重要な戦力となることができたのです。ソロンの改革以来、財産によって参政権が制限され、財産をほとんど持たない貧しい市民（労働者）たちは、重装歩兵になることもできず、ポリスを守るという名誉にもあずかることができませんでしたが、サラミスの海戦によって財産の多寡には関係なく、市民であれば平等であるという、徹底した民主政治が実現することになるのでした。

　余談になりますが、アテネとギリシアを救った英雄であるテミストクレスは、権力を掌握して僭主になる恐れがあるとして陶片追放を受け、国外に追放されました。そのテミストクレスが向かった先はどこだと思いますか？　なんとアケメネス朝でした！　ペルシア戦争でアケメネス朝を撃退した最大の功労者は、アケメネス朝にとってはにっくき敵のはずだと思うのですが、それを受け入れて地方長官にまで取り立てたのです。これはアケメネス朝の懐《ふところ》の深さを理解することのできるエピソードではないでしょうか。

（5）ペリクレス時代

　以上のように、ペルシア戦争の勝利にもっとも貢献したのはアテネであり、戦争の結果アテネの発言力が強まったことはよく理解できます。アテネを中心として、アケメネス朝の攻撃に備えるという名目でデロス同盟が結成され、１５０以上のポリスが加盟しました。名前の由来は、同盟の本部と金庫がエーゲ海のデロス島に置かれたからですが、そこではアテネ主導のもと、資金や軍艦の提供などさまざまな義務が加盟したポリスに課せられました。

アテネにおける政治の民主化も進み、成年男性市民が参加する民会が最高議決機関となって、財産や身分にとらわれない平等性が実現したのです。ポリスを運営するために、30歳以上の市民から任期1年の行政担当者を抽選で、将軍を選挙で選びました（将軍職は専門性が高いため抽選ではなく選挙で選ばれました）。その際、同じ部署の仕事に対して各部族から1名ずつ、合計10名からなる同僚団を形成させて公務に従事させました。これは特定個人への権力集中を注意深く制限する仕組みであり、平等性を維持する工夫でもあったのです。ちなみにソクラテスに対する有名な裁判は民衆裁判所でおこなわれましたが、そこでも市民から抽選で選ばれた陪審員たちが裁きました。偏屈な性格でもあったソクラテスは、裁判で死刑を求刑されたことに対し、「むしろ迎賓館で食事を提供されて、もてなされるべきだ」などと述べて陪審員たちの反感を買い、結局、死刑判決を出されてしまいます。

また、現代の私たちが利用している選挙という制度についてアテネの人々は、有力者が選ばれやすく非民主的なものであると考えていたようで、それよりも抽選によって平等にチャンスを与えることを重視しました。さらに、抽選で当選したのちには、市民としての義務を果たしてきた人物か否かが問われる資格審査がおこなわれますし、任期中に不正や

図9　ペリクレス像

怠慢などの行為があれば、民会で厳しく監査されることにもなっていました。

それに加えて、将軍職や執政官などの政権を担当している者には弾劾《だんがい》裁判の制度もありました。民主政を転覆しようとしたり、陰謀を巡らせていたりしているという疑いや売国的行為、また民会などでの収賄の疑いがある場合には、市民の誰もが弾劾裁判をおこすことができたのです。

この頃14年連続でアテネの将軍職に選ばれ、第一人者としての地位を不動のものとしたのがペリクレス（図9）でした。縦に長いタマネギ頭を隠すため、兜をかぶって額にかけた彫像が現在も伝わっていますが、ペリクレスが将軍職に就いて政治をおこなった前443～前429年を「ペリクレス時代」と呼び、一般に「古代民主政」の完成期とされています。

ところで、ここまで市民という言葉を何気なく使い続けてきましたが、アテネにおける市民とはどのような人々を指すのでしょうか？　実は市民の範囲を限定する市民権法を前

451年に提案して採択させたのがペリクレスでした。この市民権法によると、市民として認定されるのは両親ともにアテネ生まれである成年男子に限るとされました。従来は父親がアテネ市民であれば子どもは市民だったのですが、市民権を狭く限定したということになります。

（6）民主政の影

アテネの最盛期には総人口が25万人にも達し、その3分の1は奴隷であったと言われます。奴隷たちの多くは家内奴隷や農業奴隷であり、彼ら彼女らの労働によって、雇い主である市民たちにアゴラでの議論や公職への参加のための余暇を与えることになりました。奴隷の中には手工業をおこなう者もいましたし、アテネのラウレイオン銀山の採掘やペンテリコン山での大理石の切り出しなどの過酷な労働に従事する者もいました。

奴隷の供給元はと言えば、戦争で敗北した都市の市民、海賊にさらわれた者、トラキアやアナトリアなどへの軍事遠征で駆り集められた者たち、そして金銭で購入される異民族の人々でありました。奴隷の中には、もともと学問や法などに造詣が深く、主人の家族の家庭教師になる者もいましたし、自分を買い戻すための資金をためて、自由身分を手に入れる者もいたようです。しかし、総じて市民権はおろか、ヒトとしての権利を制限される不自由な奴隷たちがいたからこその民主政治であったことを、忘れるわけにはゆきません。

3．まとめ

民主政治を意味する“democracy”の語源は、ギリシア語のデーモクラティアであり、それはデーモス（民衆）による支配を意味します。アテネの歴史からも分かる通り、民主政治とは与えられるものではなく、多数を占める民衆が自分たちの力を見せつけることによって勝ち取ってゆくものでした。

ここで一つ有名な史料を紹介しましょう。スパルタとのペロポネソス戦争での戦死者を国葬する際に、アテネの指導者であるペリクレスがおこなった演説の一部です。

「われらの政体は他国の制度を追従するものではない。ひとの理想を追うのではなく、ひとをしてわが範を習わしめるものである。その名は、少数者の独占を排し多数者の公平を守ることを旨として、民主政治〈引用者注：デーモクラティア〉と呼ばれる。わが国においては、個人間に紛争が生ずれば、法律の定めによってすべての人に平等な発言が認められる。だが一個人が才能の秀《ひい》でていることが世にわかれれば、無差別なる平等の理を排し世人の認めるその人の能力に応じて、公けの高い地位を授けられる。またたとえ貧窮に身を起そうとも、ポリスに益をなす力をもつ人ならば、貧しさゆえに道をとざされることはない。われらはあくまでも自由に公けにつくす道をもち、また日々互いに猜疑《さいぎ》の眼を恐れることなく自由な生活を享受している。よし隣人が己れの楽しみを求めても、これを怒ったり、あるいは実害なしとはいえ不快を催すような冷視を浴せることはない。」

（トゥーキュディデース『戦史』岩波文庫）

ここでペリクレスは、「少数者の独占を排し多数者の公平を守る」民主政治を実現し、自由と同時に権利の平等を認めていることを誇っています。確かにペリクレスの言う通り、古代ギリシアのアテネでは、ユニークな民主政治が実現していました。

しかし、同時に「問題点」も生みだされたように見えます。ここまで読んでくださった皆さんは、このペリクレスの戦没者葬送演説には、重要な何かが抜け落ちていることに気がつかれたことでしょう。

例えば、古代ギリシアでは、市民たちの間における政治的な平等を徹底したものの、市民として認定される基準を市民権法などによって厳しく制限したうえで、奴隷・女性・外国人には参政権を一切認めませんでした。中でも奴隷は都市国家アテネの人口の実に3分の1を占めたとされ、アテネを始めとする古代ギリシアのポリスは、奴隷制度なくしては成り立たない社会構造になっていました。そして、ソロンの改革以来、アテネの市民が奴隷になることは原則的になくなりましたから、奴隷とされた者たちの多くは異民族から供給されることとなりました。ギリシアの人々は異民族のことをバルバロイ（聞き苦しい言葉を話す者）と呼んで見下し、戦争での戦利品として彼ら彼女らを獲得し、また奴隷市場で購入することによってみずからのもとで働かせたのでした。

高校の現場で使用されている帝国書院の教科書『新詳世界史Ｂ』では、「視点をかえて」というコラムで次のように説明しています。

「『女性と奴隷にとっての民主政』

ポリスの民主政は、直接民主政であっても現在とは大きく異っていた。市民の母・妻・娘である女性たちは、市民身分となっていたが、参政権を認められず民主政から排除されていた。女性は父親が決めた夫と結婚し、子どもを生むという生き方以外は認められなか

【関連年表】

前８c前半	各地にポリス誕生
前594	ソロンの改革
前561～前527	ペイシストラトスの僭主政治
前508～前507	クレイステネスの改革
前490	マラトンの戦い（ペルシア戦争）
前487	行政役人の選出に抽選制導入
前480	サラミスの海戦（ペルシア戦争）
前451	市民権法成立
前443～前429	ペリクレス時代

った。ポリスの祭儀に参加するほかは、もっぱら家の中で家族や親類を相手に音楽や文芸を楽しむことくらいしか許されなかった。

　自由を奪われた存在という点ではるかにみじめだったのは『生きた道具』とされた奴隷である。市民にかわって生産労働に従事した奴隷は、主人の所有物にすぎず、すべては主人の意思にまかされていた。」

　つまり、アテネにおける民主政とは、異民族の奴隷という安い労働力の犠牲の上に、時間的余裕を持てるようになった平民（＝市民）たちが担ったものだったのです。民主政治を完成させたペリクレスも、プラトンの対話編で有名なソクラテスも、そして奴隷のことを「生きた家財」と言ってのけたアリストテレスも、奴隷制度を大前提とした民主政のもとで生活していたのでした。

ペリクレスが讃える民主政治に参加できるのは、アテネに生活する人々のうちの5分の1にも満たない、市民権を持つ男性だけだったのです。私たちはこのような民主政治が、残る5分の4以上の人々によって支えられていたという事実を忘れてはいけないでしょう。古代ギリシア史の専門家である桜井万里子さんは、「古代ギリシアの市民たちの自由は、市民以外の、市民よりも遥かに人数の多い人々の自由を抑圧することで成り立っていたのです」と、ずばり指摘しています（『NHKカルチャーアワー　歴史再発見　いまに生きる古代ギリシア』日本放送出版協会）。

ここまでくると、皆さんと一緒に考えてみたくなります。現代の私たちの民主政治にも、重要な何かが抜け落ちたりはしていないでしょうか、と。

【解答例】

ソロンは平民の負債を帳消しにし、借財を負った市民を奴隷として売買することを禁ずる改革をおこなった。そのため、アテネ市民と奴隷との区別が明確なものとなり、アテネで異民族から奴隷を調達する傾向が強まった。（100字）

第三章　文明のリレーはイスラームが主役——12世紀ルネサンス

今回はクイズから始めましょう。

問1．次の言葉に共通する点を見つけて下さい。

コットン、シュガー、アスパラガス、シロップ、ソーダ、アルコール、アルカリ、キャンディー、コーヒー、シャーベット、レモン、ジャンパー、ブラウス、パジャマ、ソファー、ガーゼ、マスク、アルタイル、デネブ、キャラバン、マガジン、アサッシン

もちろん、「ぜんぶカタカナ」という答えではいけません。何語に由来する言葉なのかをあてて欲しいのです。まあ知っているか知らないかの世界になってしまいますが、いかがでしょうか？

共通するのはアラビア語起源の言葉であるということでした。図1の表に見られる通り、アマルガムやアルカリ、アルコールなどの化学用語、コーヒーやシャーベットなどのぜい

単語／事物	原語（アラビア語）
アマルガム（合金）	アル＝マルガム
アルカリ	アル＝カーリー
アルコール	アル＝クフール
キャンディー	カンド、カンディー（濃い砂糖汁）
コーヒー	カフワ（カフェもカフワから）
シャーベット	シャルバート
バナナ	バナーナ（原義は指から）
レモン	リームーン
サテン（繻子）	ザイトゥーニー（中国の地名泉州のアラビア語から）
ジャンパー	ジュッバ（長上着がポルトガル語を経由して日本では「襦袢」に）
ブラウス	バルスィー（古代エジプトの地名から）
モスリン（織物）	マウスィル／モスル（地名から）
キューポラ（丸屋根）	クッバ（現代では転じて溶鉱炉の意味も）
ジャー（壺、瓶）	ジャッラ
アルジェブラ（代数学）	アル＝ジャブル
キャメル（駱駝）	ジャマル
モヘア（アンゴラヤギの毛）	ムハイヤル（原義は特選品）
カラット（重さの単位）	キーラート
チェックメート（チェスの王手詰め）	シャー・マータ（「王は死んだ」の意）
マガジン（雑誌、武器庫）	マハーズィン
マスク（仮面）	マスハラ（「笑いの種」の意）
マットレス	マトラフ（原義は捨てる場所）
ラケット	ラハト（「手の平」の意）
アクラブ（さそり座 β 星）	アクラブ（「さそり」の意）
アルカイド（北斗七星の先端の星）	アル＝カーイド（「導く者」の意）
アルゲニブ（ペガスス座 γ 星）	アル＝ジャーニブ（「脇」の意）
アルタイル（わし座α星、牽牛星）	アッ＝ターイル（「飛ぶ」鷲の意）
アルデバラン（おうし座α星）	アッ＝ダバラーン（「続く者」の意）
デネブ（はくちょう座α星）	ザナブ（「尾」の意）
ドゥベ（おおぐま座α星）	ドゥッブ（「熊」の意）
ファクト（鳩座α星）	ファフト（「鳩」の意）
マルカブ（ペガスス座α星）	マルカブ（「乗り物」の意）
リゲル（オリオン座 β 星）	リジュル（「脚」の意）
ワサト（双子座 δ 星）	ワサト（「中央」の意）
ヴェガ（こと座α星、織女星）	アル＝ワーキウ（「降下する」鷲の意）

図1　アラビア語起源の言葉

『興亡の世界史 06　イスラーム帝国のジハード』（小杉泰　講談社）より

たく品、ブラウスやモスリンなどの生活必需品、星の名前などの天文学に関連するものなどなど、アラビア語がもとになったものは数多くあります。これはイスラーム教とイスラーム世界の文化や物産が、世界に大きな影響を与えたことの名残であるといえるでしょう。

では次のような質問はいかがでしょうか？

問2．中世の西ヨーロッパ世界についての次の説明のうち、正しいものを一つ選びなさい。

（ア）中世の西ヨーロッパ世界は、同時代のイスラーム世界と比較するとかなり低い文化レベルにあった。

（イ）中世の西ヨーロッパ世界は、同時代のイスラーム世界と比較するとかなり高い文化レベルにあった。

（ウ）中世の西ヨーロッパ世界は、同時代のイスラーム世界と比較すると同程度の文化レベルにあった。

中世の西ヨーロッパ世界とは、今から1千年ほど前の時代を指しています。その頃の西ヨーロッパ世界とイスラーム世界は、さてどちらが文化的に進んでいたのでしょうか。この質問の答えを考えるにあたっては、２００５年の東京大学の問題を手がかりとするのが良いでしょう。

> **ビザンツ世界やイスラーム世界と異なり、中世の西ヨーロッパは古代ギリシアやヘレニズムの文明をほとんど継承しなかった。ギリシア・ヘレニズムの学術文献が西ヨーロッパに広く知られるようになるのは、12世紀以降である。これらの学術文献はどのようにして西ヨーロッパに伝わったのか。90字以内で説明しなさい。**
>
> **（東京大　２００５年）**

1．文化・文明の継承　その1　オリエント～ローマ

今回のテーマは、文明の継承と発展です。そこで、文化・文明の誕生から中世に至る展開を簡潔に振り返ってみましょう。

今から5千年ほど前、ティグリス・ユーフラテス川流域のメソポタミアとナイル川流域のエジプトに、世界で最も古いと考えられる文明と国家が誕生し、それぞれ独自の発展をみます。この文明はアッシリアによる統一とその後の分裂を経て、オリエント世界を統合したアケメネス朝によって集大成され、その内容は、主に楔形文字とアラム文字によって継承されました（第一章参照）。

その後、ギリシア世界を統一したマケドニア王国が、アレクサンドロス大王のもとでこれら古代文明世界を飲み込みます（図2）。ギリシア文化の世界と、オリエント文化の世界を一つながらにまとめあげた偉業から、アレクサンドロスは「大王」と呼ばれるわけですが、実際には父のフィリッポス2世が敷いた路線をアレクサンドロスがたどって成功した、というのが近年の研究のようです（森谷公俊『興亡の世界史01　アレクサンドロスの征服と神話』講談社参照）。

アレクサンドロスは、各地に自らの名前を冠したアレクサンドリアという名の都市を建設し、多くのギリシア人を支配者として植民させました。それらの都市には、ギリシア風の円形劇場や神殿などがつくられて、ギリシア文化のオリエントへの波及に貢献しました。そしてアレクサンドロスの遠征によって、オリエントの文化とギリシアの文化が融合した

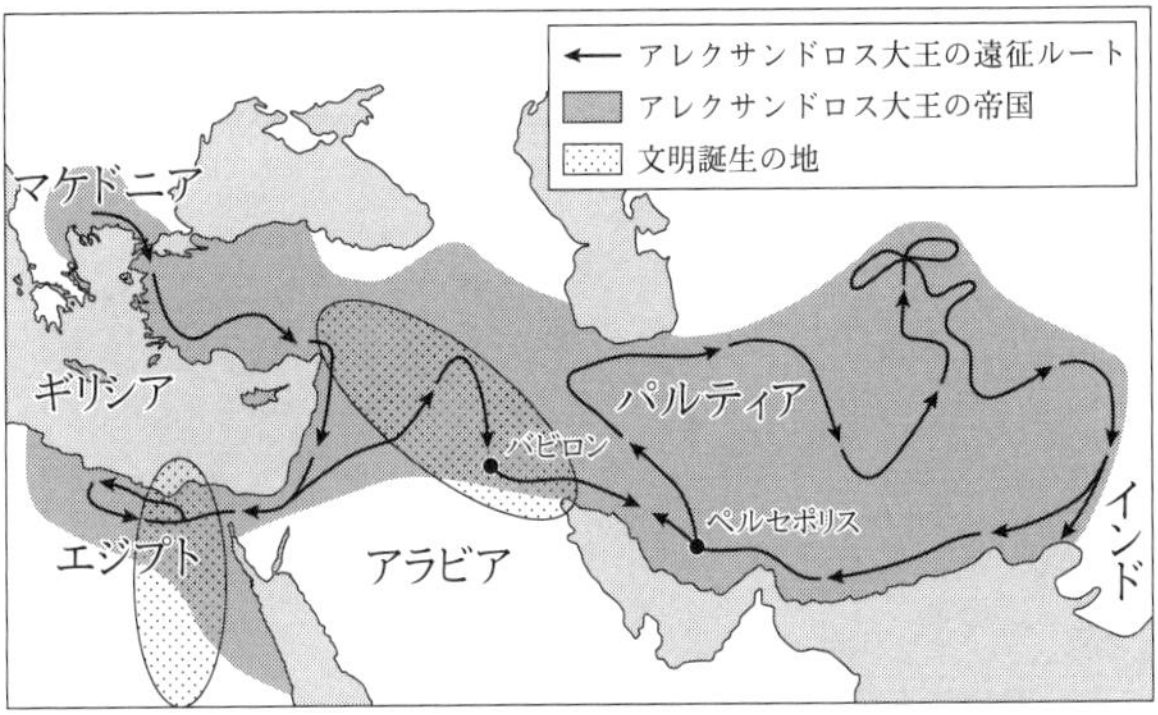

図２　アレクサンドロス大王の遠征ルートと帝国の領土

ヘレニズム文化が生み出されたと一般に言われています。ヘレニズムとは、19世紀のドイツの歴史家であるドロイゼンによる造語で、「ギリシア風」という意味です。アレクサンドロスの東方遠征からプトレマイオス朝がローマ帝国によって滅ぼされる前30年までの約３００年間を、ヘレニズム時代とも呼んでいます。

そこでは、共通語を意味するコイネーと呼ばれる古代のギリシア語とそれを表す文字としてのアルファベットが共通の学術用語として利用されます。後にアレクサンドロスの帝国の西半分にあたる西方ヘレニズム世界（地中海東部）を飲み込んだローマ帝国も、ラテン人であるからラテン語を共通語としてはいましたが、文化的にはヘレニズムを受け継いで、古代のギリシア語とアルファベットを学術用語とし

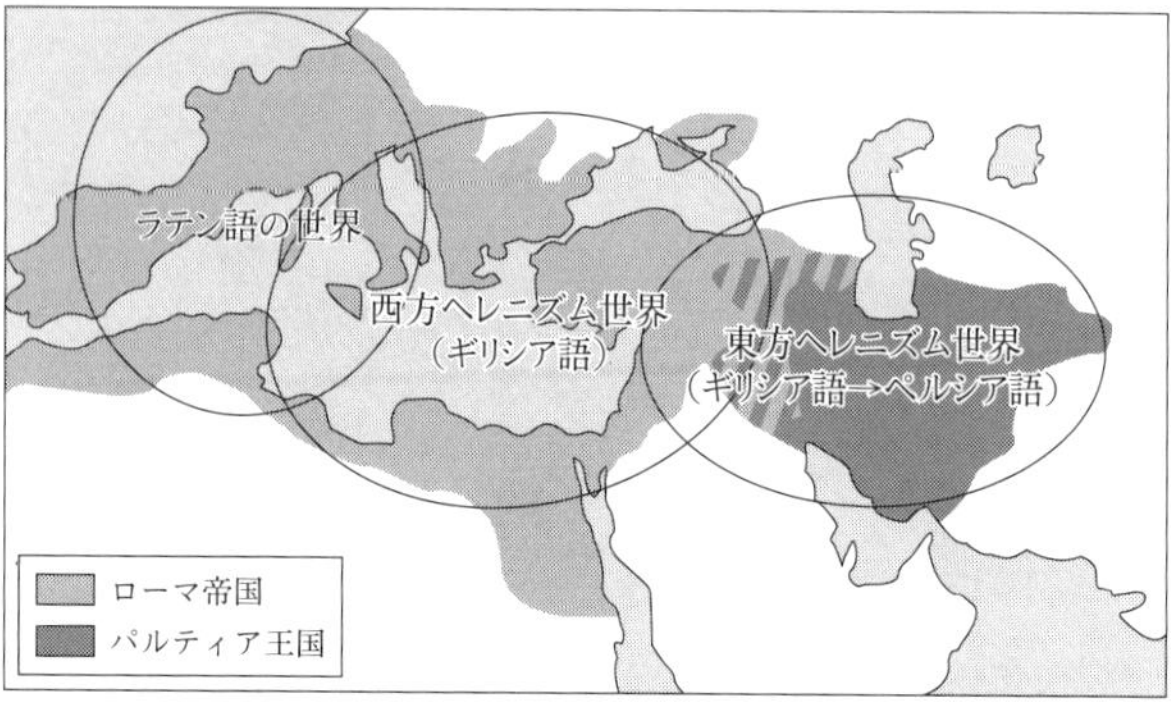

図3　2世紀頃のローマ帝国とパルティア王国

ていました。また、アレクサンドロスの帝国の東半分にあたる東方ヘレニズム世界（イラン・イラク・中央アジア）を飲み込んだのはイラン系のパルティアとそれに続くササン朝でした。ここでは古代のギリシア語とアルファベットの学問に加え、ペルシア語とアラム文字が共通の学術用語として利用されていました（図3）。

「征服されたギリシア人は、猛《たけ》きローマを征服した」と前1世紀の古代ローマの詩人ホラティウスは言いました。これは、政治的・軍事的にギリシアを支配したローマですが、文化的にはギリシアがローマを支配したという意味でした。

エジプトのアレクサンドリアにはムセイオンという名の研究機関が設けられて、自然科学や数学などが発達しました。ヘレニズム時代からローマ時代にかけて、エウクレイデス、アルキメデス、プトレマイオスなどギリシア系のそうそうたる学者たちが活躍したのです。ちなみに、エウクレイデスは英語風に読むとユークリッドで、ユークリッド幾何学という言葉で皆さんも聞き慣れているのではないでしょうか。また、ムセイオンは現在のミュージアムという言葉の語源ともなっています。

　しかし、ゲルマン人が大量に流入するなかローマ帝国は東西に分裂し、西のローマ帝国は早々に解体してしまいます。さらに7世紀よりイスラーム勢力が地中海世界に進出してゆくと、かつてローマ帝国によって統合されていた地中海世界は、東ヨーロッパ、西ヨーロッパ、イスラーム世界へと三分されていったのでした（図4・次ページ）。

　この間、中世の西ヨーロッパ地域では、異民族の侵入や帝国の消滅にともなう秩序の荒廃などによって、学術文献の多くを失ってしまい、修道院や教会などに一定の文献が残るものの断片的で、文化レベルの著しい低下を経験します。

2．文化・文明の継承　その2　オリエント〜イスラーム

　そのいっぽう、アケメネス朝からアレクサンドロスの帝国に継承されたコイネーと呼ばれる古代ギリシア語による古代文明の精華は、ヘレニズム世界の東側部分において、西ア

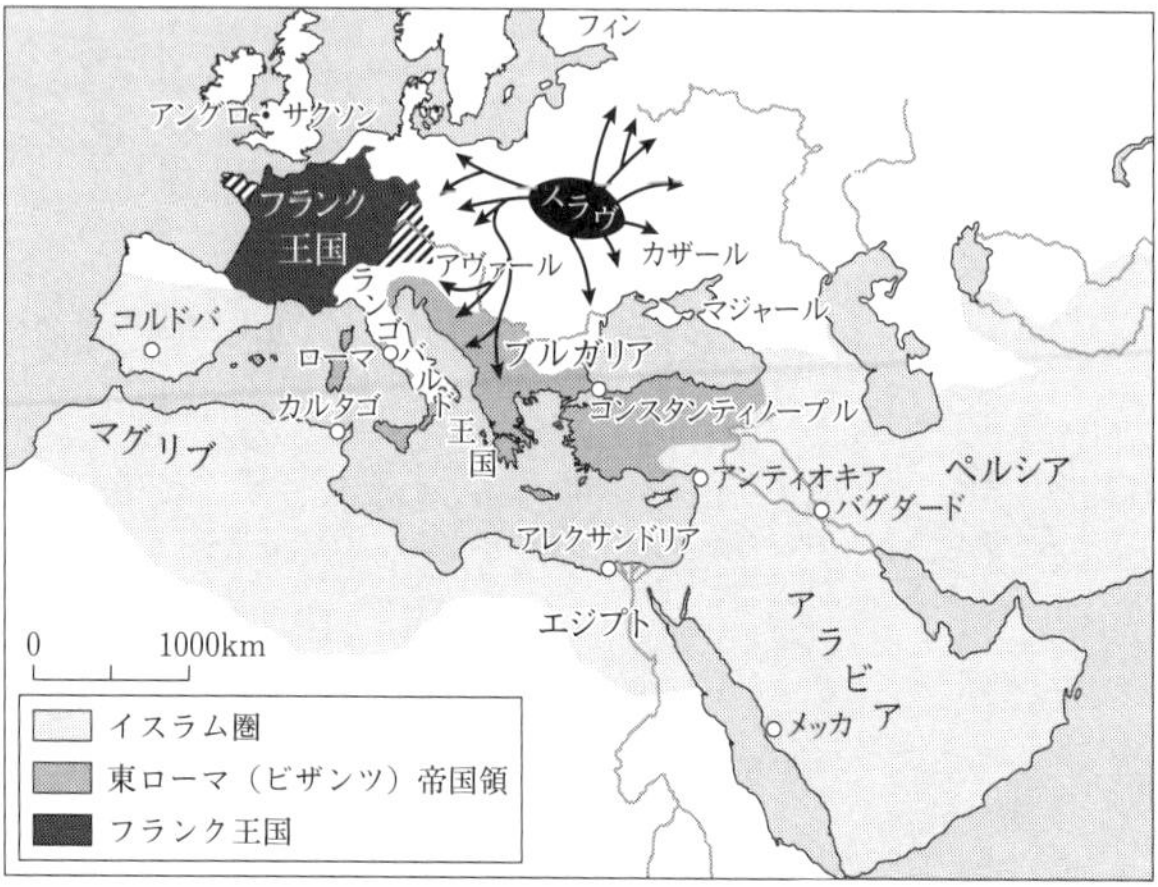

図４　分裂する地中海世界（８世紀頃）

『民族の世界史８　ヨーロッパ文明の原型』（井上幸治編　山川出版社）より

ジアのイランを中心とするパルティアとササン朝によって継承されていました。ではここで質問です。パルティアとササン朝が古代オリエント以来の文化や文明を受け継ぐ時に活躍したのは、次のどのような人々だったでしょうか。

（ア）イスラーム教徒
（イ）仏教徒
（ウ）キリスト教徒
（エ）ヒンドゥー教徒

　この時代にはまだイスラーム教は生まれていませんでしたので、実は答えは（ウ）のキリスト教徒でした。ただし、キリスト教はキリスト教でもネストリウス派のキリスト教です。

ご存じの通りキリスト教は、たった一人の神を信じる一神教です。そのキリスト教は、イエスや聖母マリアの存在をめぐって多くの異端を生み出しました。簡単に言うならば、イエスは神なのか人間なのかという論点です。イエスを神と認定してしまうと一神教ではなくなってしまいますが、人間としてしまうとガリラヤ湖を歩いて渡ったり、死者を蘇《よみがえ》らせたりしたという、イエスが生前におこなった数々の奇跡の説明がつかなくなります。いったいイエスは神なのでしょうか、それとも人間なのでしょうか？

キリスト教徒にとって極めて深刻なこの問いかけに対し、様々な解釈が生まれましたが、そのままだとキリスト教会の組織が分裂してしまいます。そこで、ローマ皇帝の下でイエスの解釈をめぐる国際会議（宗教会議）が何度も開かれました。

このうち、４３１年のエフェソスで開かれた会議で異端とされたのがネストリウス派です。ネストリウス派は、イエスは人間として生まれたが、のちに神の要素が入ったことによって特別な存在になったとする考えです。つまり、イエスの中には人間の側面と神の側面の両方が存在するというものでした。

このネストリウス派は異端とされたため、東のローマ帝国（ビザンツ帝国）から追放さ

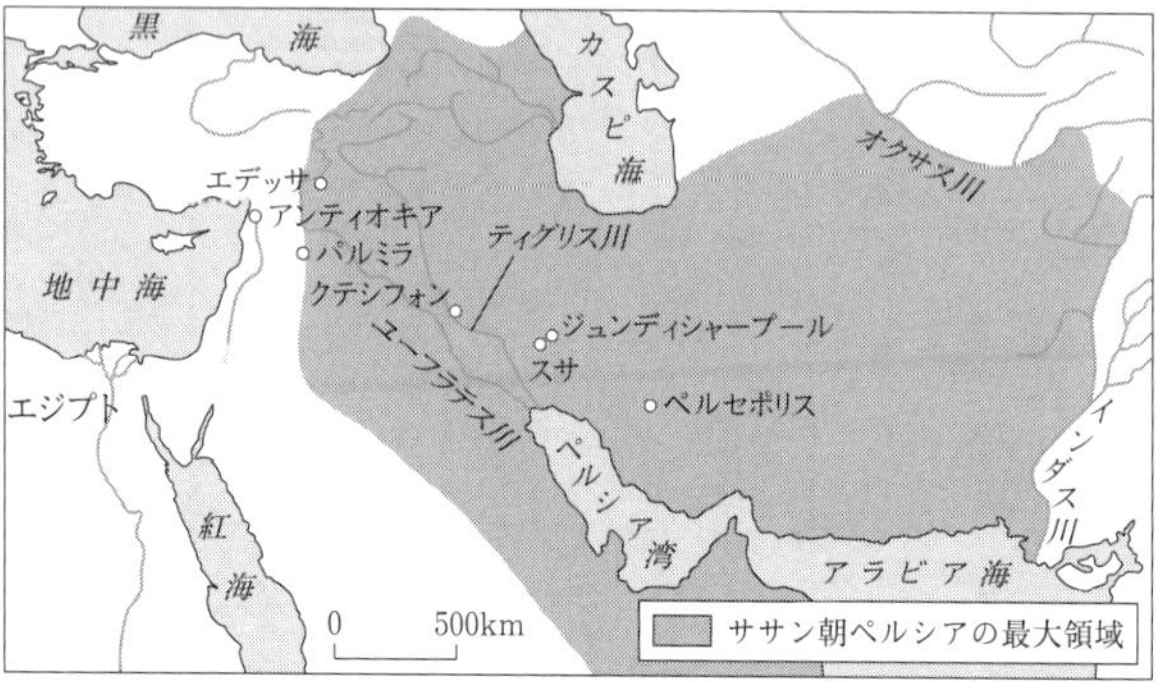

図５　ササン朝ペルシアの最大領域

れ、宣教師たちはイランのササン朝へと逃れます。ササン朝はビザンツ帝国と対立していたこともあり、ネストリウス派の人々を保護しました。以後彼らはイランや中央アジア、遠くは唐代の中国にまで教線を張ります。

さらに、かつてプラトンがアテネ郊外に創設したアカデメイアと呼ばれる学院（アカデミーの語源です）が、東のローマ皇帝であるユスティニアヌス帝の圧力を受けて５２９年に閉鎖されると、多くの哲学者や医者などの知識人がササン朝へと亡命しました。この時、ササン朝のホスロー１世がスサ近郊のジュンディシャープール（図５）に高等教育機関を開いており、そこで、ギリシア語で書かれた学術文献をシリア語（アラム語）や中世ペルシア語に翻訳していったのです。ここで活躍したのがネストリウス派のキリスト教徒やユダヤ教徒でした。これ以後ササン朝の文化は大いに発展することになります。

　そのササン朝を、642年にニハーヴァンドの戦いで破ったイスラーム勢力は、その後イランから中央アジア方面を制圧します。このようなイスラーム勢力の特徴を、かつては「コーランか剣か」をせまったと表現しました。つまり、イスラーム教への改宗か滅ぼされるかの選択を征服地の人々に強制したと言うのです。しかし、近年の研究によれば、ササン朝のジュンディシャープールの学院はイスラーム世界でそのまま引き継がれ、そこで学んだ医者が、イスラームの王朝であるウマイヤ朝の指導者カリフの侍医にもなっていることが明らかになっています。したがって、「コーランか剣か」ではなく、「コーランか剣か貢納か」という表現に近年は変化しています。税さえ納めれば、信仰や文化を守ることが許されたのです。

　そして続くアッバース朝時代には、カリフであるハールーン＝アッラシードが、ジュンディシャープールの学者たちをバグダードに招いて「知恵の宝庫（ヒザーナト・アルヒクマ）」と名づけられた図書館で研究させました。その息子でカリフとなったマームーンは、「知恵の宝庫」を拡充して「知恵の館（バイト・アルヒクマ）」に発展させ、ギリシア語や

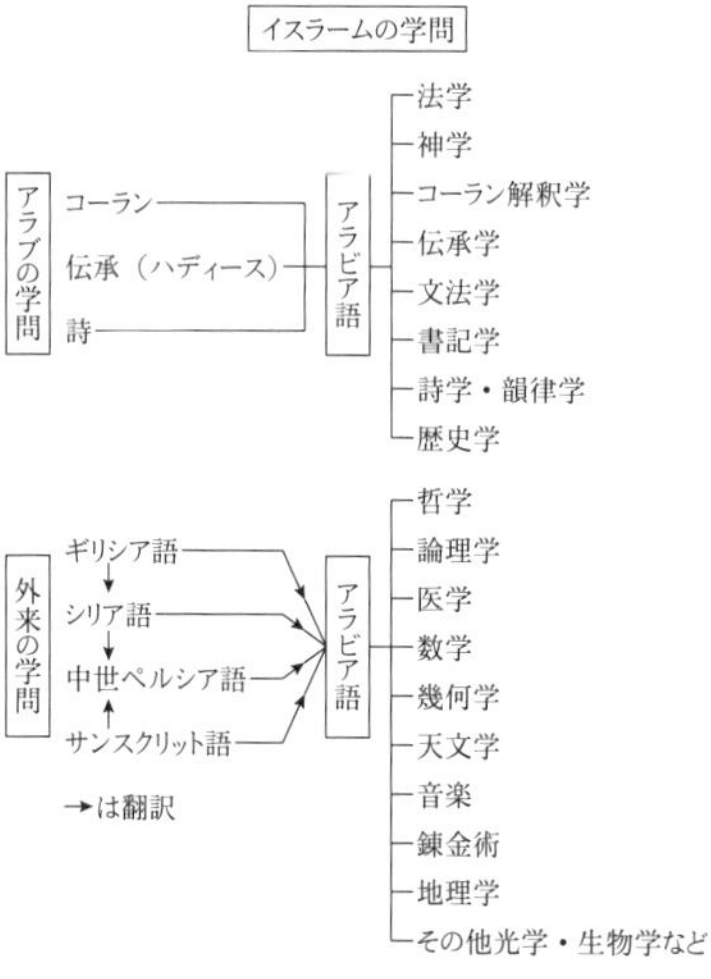

図6　イスラームの学問

『世界の歴史8　イスラーム世界の興隆』（佐藤次高　中央公論社）より

ペルシア語の文献をアラビア語に組織的に翻訳してゆきました。「外来の学問」と呼ばれる、ギリシアやオリエントやインドなど世界各地から収集した学術文献をアラビア語で消化・吸収していったのがイスラーム世界でした（図6・7）。したがって、イスラーム世界のアラブ人たちは、文明の破壊者や簒奪《さんだつ》者であったのではなく継承者だったのです。しかもそのもっとも正統な継承者でもありました。

なお、このようなイスラーム世界における文化の急速な発達を支えたのは、751年のタラス河畔の戦いののち、イスラーム世界に伝来し普及していった製紙法による安価な紙の登場が大きかったと考えられます。タラス河畔の戦いとは、中国の唐の軍勢と、イスラームのアッバース朝の軍勢が、中央アジアのタラスで衝突したもので、捕虜となった唐の

兵士の中に、紙漉《す》き職人がいたことで、製紙法が西伝したとされる出来事です。

高価な羊皮紙にかわり、亜麻布のボロなどを原料とする紙は、知識の伝達と継承に多大な貢献をなしたということを、私たちは忘れるわけにはゆかないでしょう。ということで、イスラーム世界は、古代ギリシアに由来する文化、古代のオリエントに由来する文化、そしてローマ帝国や中国に由来する文化など、世界各地の文化を吸収・統合した文化・文明であったということになるわけです。

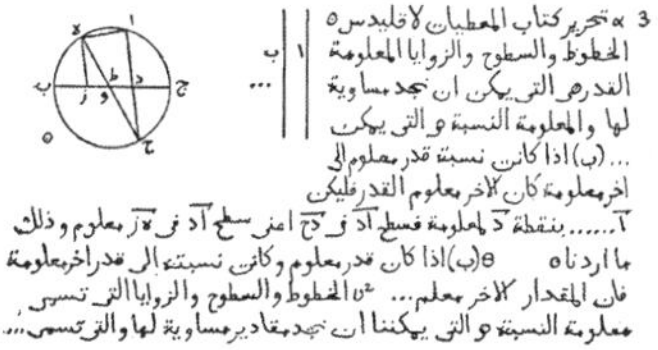

図7　アッバース朝時代、数学者サービト・イブン・クッラがエウクレイデス（ユークリッド）の数学書『デドメナ』をアラビア語に翻訳したもの

『十二世紀ルネサンス　西欧世界へのアラビア文明の影響』（伊東俊太郎　岩波書店）より

さて、イスラーム世界における文化・文明の継承に関連して、一つクイズを出しましょう。図8（次ページ）の絵本は『アラジンとまほうのランプ』という皆さんがよく知っている物語ですね。では、主人公のアラジンの出身地はどこでしょうか？

「もちろんアラビアあたりの西アジア」と考える人も多いと思いますが、実はアラジンは中国人という設定なのでした。

図9は2006年のセンター試験「世界史B」の設問で使用された挿絵で、ここではアラジンは中国人の姿で描かれています。

「アラジンと魔法のランプ」を収録している『千夜一夜物語（アラビアン・ナイト）』には、アラビアの物語も当然入っていますが、それ以外にもペルシアやインドなど世界各地を舞台とした物語がおさめられているのです。ここでも、イスラームの文化が世界の文化を消化・吸収したものであることが示されていると言えるでしょう。ただし近年の研究によると、「アラジンと魔法のランプ」の話は、18世紀のヨーロッパに紹介される時に付け加えられたものであることが明らかになっており、オリジナルの『千夜一夜物語』には存在し

図8　絵本『アラジンとまほうのランプ』（文：中脇初枝　絵：林一哉、門野真理子　ポプラ社）

図9　イギリスのウォルター＝クレインが描いた中国人のアラジン（左）

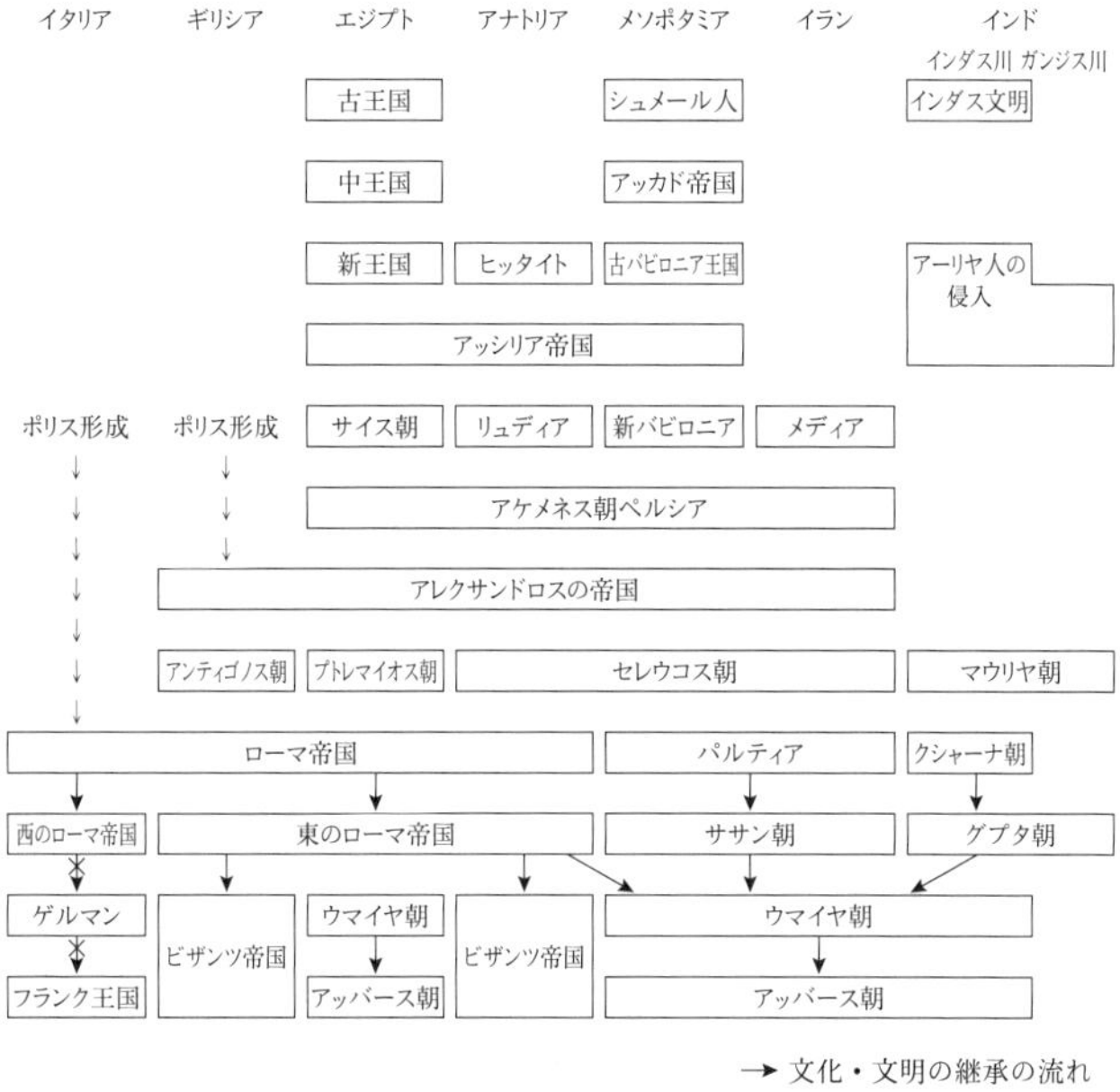

図 10　古代以来の文化・文明の継承イメージ図

なかったようです。

　さて、以上を踏まえて、古代以来の文化・文明がどのように継承されてきたのかをイメージ化したものが図10になります。アレクサンドロス大王の遠征によって生み出されたヘレニズムの文化は、西のローマ帝国と東のパルティア、ササン朝へと継承されました。そして、これらの領域を継承したイスラーム世界は、同時にその文化・文明をも継承したのでした。それでは、西のローマ帝国の文化・文明はどうなったのかについて、次に見てゆきましょう。

3．古代文明の断絶　西ヨーロッパ世界

古代以来の文明、ヘレニズム文明の西側部分における継承者たるローマ帝国は、３９５年以後東西に分裂し、東のローマ帝国はその後１千年以上にわたって存続しますが、西のローマ帝国は４７６年に滅亡してしまいました。その後もゲルマン人の大移動が続く中、西ゴートを率いたアラリック、ヴァンダルを統合したガイゼリックなどが、ローマの略奪をおこない、西のローマ帝国で栄えた文化・文明の多くは失われてしまいました。

つまり、生き残った帝国である東のローマ帝国の都、コンスタンティノープルには、古代以来の学術文献が残されますが、消滅してしまった西のローマ帝国のかつての都であるローマには、学術文献などが受け継がれなくなってしまうのです。

その後、西のローマ帝国を復興させたと考えられるフランク王国のカール大帝の時代に、カロリング＝ルネサンスと呼ばれる文化の復興が一定程度なされるものの、失われたものはとても大きかったのです。

少々脱線しますが、このような話の一側面を鋭く切り取った傑作として、２０１６年２

月に亡くなったイタリアのウンベルト＝エーコという記号論の哲学者が書いた小説『薔薇の名前』（河島英昭訳、東京創元社）を紹介しておきましょう。本書はミステリー仕立てになっていますから、筋書きを言うのは野暮というものなので遠慮しますが、西ヨーロッパの中世における修道院の文化的「空気」をつかむのにはもってこいの作品です。ドキドキしながら読むことのできる名作と言えるでしょう。

さて、本章冒頭（74ページ）の問2の答えはもう明らかだと思います。

（ア）中世の西ヨーロッパ世界は、同時代のイスラーム世界と比較するとかなり低い文化レベルにあった。

これが実際のところだったのです。

鯖田《さばた》豊之《とよゆき》さんの『肉食の思想』（中公新書）によれば、中世西ヨーロッパ世界の農業生産力は、まいた小麦の種1粒につき収穫がわずかに2〜3粒という低レベルなものであり、穀物だけでは十分なカロリーを取ることができないために、肉食を取り入れざるをえなかったということでした。現在の私たちが西ヨーロッパ諸国に対して持つ「豊かな国々」というイメージを、過去にさかのぼらせて当てはめることはできない、というわけです。

4．12世紀ルネサンスとは？

さて、先ほど紹介した西ヨーロッパにおける農業生産力も改善し、１粒の小麦の種から４〜６粒を収穫できるようになりました。その背景には三圃《さんぽ》制と呼ばれる耕地の有効利用方法が普及し始めたことや、水車や風車の利用、そして重量有輪犂《すき》の利用による生産力の向上がありました。それでも同時代のアジア地域と比べると、まだまだ低水準であったと言うこともできますが、シンプルに考えてみるならば、１粒の小麦から２〜３粒の収穫であったものが、４〜６粒となったわけですから、生産力は２倍です。

これにより、余剰穀物の販売が活発化し、遠隔地を結ぶ商取引も盛んになりました。都市の人口が拡大し、「商業ルネサンス」と呼ばれる時代状況がうまれたのです。

このようなか、知識と文化に飢えた西ヨーロッパの若者たちが、イスラーム世界から古代以来の学術を学んでゆきます。その舞台となったのはキリスト教世界とイスラーム世界の接点にあたる南イタリア（とりわけシチリア島のパレルモ）とイベリア半島（とりわけトレド）でした。

西ヨーロッパの人々はアラビア語やギリシア語の学術文献をラテン語に翻訳することにより、アリストテレスの哲学やギリシア・ローマの医学など、失われた古代文化を再発見することができたのです。この翻訳運動による西ヨーロッパの文化復興を「12世紀ルネサンス」と呼んでいます。

この背景としては、前述の通り西ヨーロッパにおける農業生産力が向上したことに加え、当時おこなわれていた十字軍によって東方への関心が高まったこと、イベリア半島におけるイスラーム勢力からの国土回復をキリスト教勢力が進める、レコンキスタ（図11・次ページ）と呼ばれる再征服活動の高まりなどをあげることができます。このうち、イベリア半島のトレドはアラビア語からラテン語への翻訳が盛んにおこなわれた都市で、「12世紀ルネサンス」の舞台となりました。

レコンキスタによって１０８５年にトレドがキリスト教地域に奪還されると、そこはキリスト教ラテン世界におけるアラビア文化吸収の前進基地となりました。細かい話になりますが、トレドの司教であるライムンドゥスが、アラビアの学術を研究し、アラビア語をラテン語に翻訳する学校をつくります。このような地に、アラビアの進んだ学術を学ぼうとする若者がヨーロッパ中から集まります。イングランドからはバースのアデラードが、

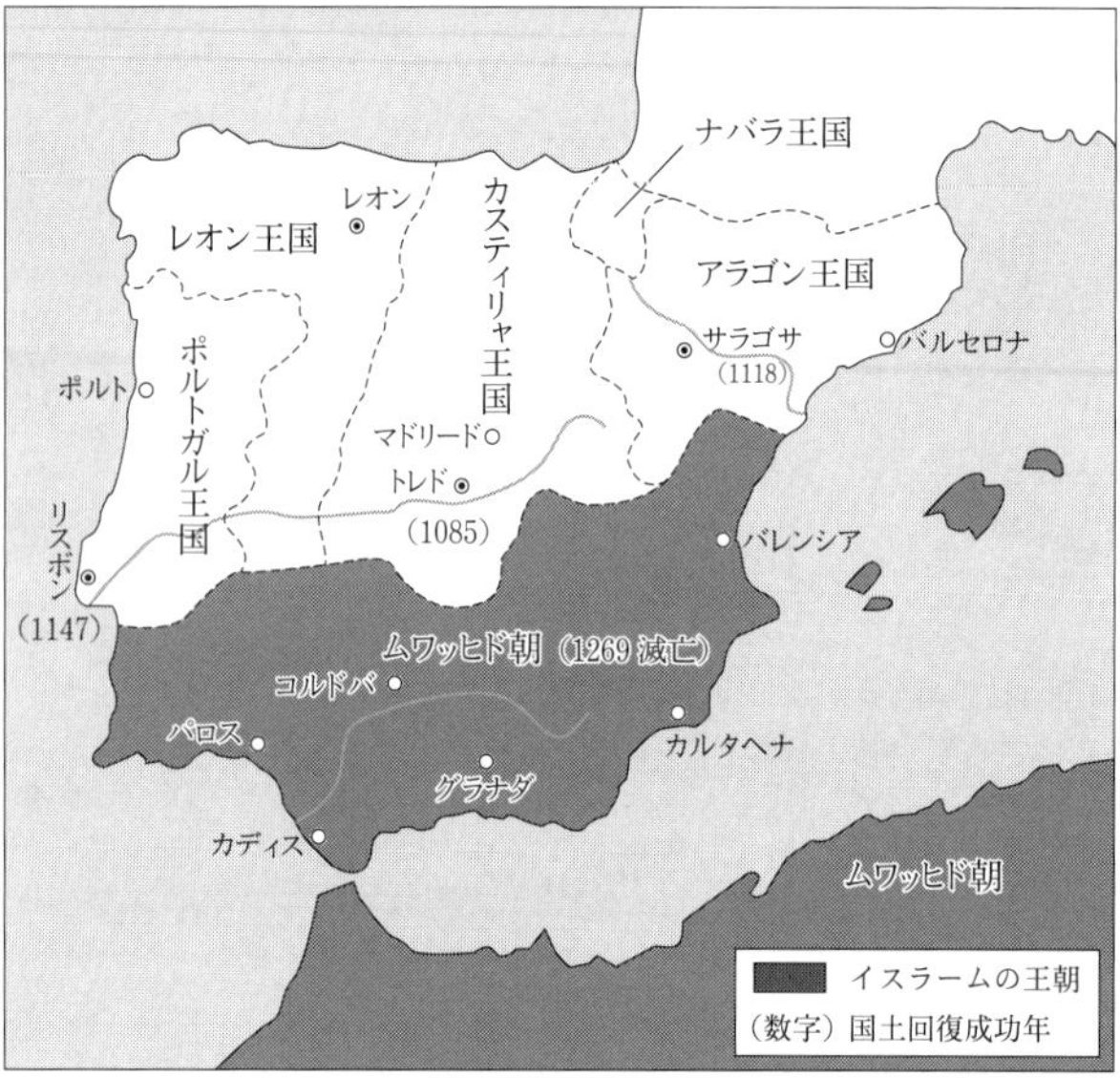

図 11　レコンキスタ（1200 年頃）

そしてイタリアからはクレモナのゲラルドがトレドに「留学」します。中でもクレモナのゲラルドは、プトレマイオス、アリストテレス、エウクレイデス、アルキメデス、アポロニオス、ガレノス、アル＝キンディ、アル＝ファーラービー、アヴィケンナなどの学術書87種類の翻訳をおこないました。

　このうちのアヴィケンナとは、中央アジアのブハラ近郊に生まれたイスラーム教徒の学者であるイブン＝シーナーのラテン語名で、『医学典範』の著者として知られていますが、彼はアリストテレス哲学を研究した哲学者としての顔も持っています。

いっぽう、イタリア半島の南方に位置するシチリア島のパレルモでは、アラビア語からラテン語だけでなく、ギリシア語からラテン語への翻訳も多くおこなわれました。これは、シチリア島や南イタリアなどが、長い間ビザンツ帝国（東のローマ帝国）の支配下にあったことと無関係ではないでしょう。また、この地には北アフリカのイスラーム勢力が進出してきており、アラブ、ギリシア、ラテン文化圏にまたがる地域であったことが分かります。

さらにもう一つ指摘するならば、シチリア島から南イタリアにかけて、この時代は両シチリア王国（ノルマン＝シチリア王国）と呼ばれる国が存在していました。これは北ゲルマンであるノルマン人が地中海にも進出して建てた国で、ロゲリウス2世（ルッジェーロ2世）の時に王国となりました。

王国の役人には多くのアラブ人が登用され、キリスト教徒である国王みずからもアラビア語を操ることができたと言われています。

ウィレルムス2世（シチリア王位１１６６～89）やフレデリクス2世（教科書風にはフリードリヒ2世、またイタリア語読みではフェデリーコ2世。シチリア王位１１９８～

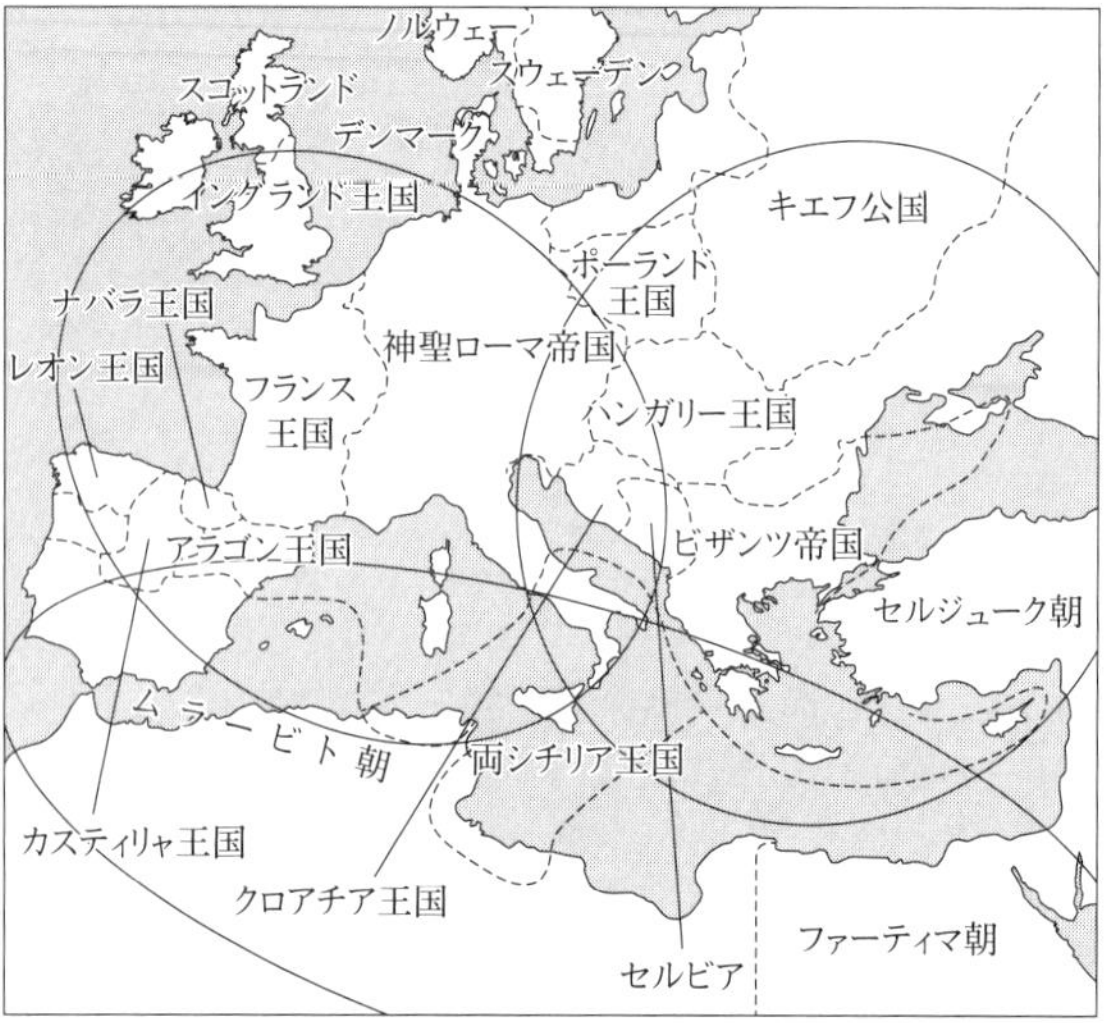

図12　1150年頃の地中海世界。両シチリア王国は、アラブ・イスラーム文化、ギリシア・東方正教文化、ラテン・カトリック文化の3つの世界の接点となり、文化的な摩擦もあったが、異文化交流も盛んにおこなわれた

1250）の時代には、アラブ・イスラーム文化、ギリシア・東方正教文化、ラテン・カトリック文化が共存したいわばハイブリッドな文化・文明が花開きました（図12）。

一つの言語にかたよることなく、ギリシア語、ラテン語、アラビア語が公用語とされて（図13）、図14の絵にあるごとく、それぞれの言葉をあやつる書記官が両シチリア王国には控えていたのです。

ただし、両シチリア王国の本格的な歴史を、新書などで日本で最初に紹介した高山博氏の『中世シチリア王国』（講談社現代新書）によると、次のような限界もあったようです。

両シチリア王国では、アラブ・イスラーム文化、ギリシア・東方正教文化、ラテン・カトリック文化の中で育った人々が併存して生活していたものの、「王国内に混住していたわけではなく、モザイク状に棲み分けていた」とされ、自らの属する文化と他の文化とを融合させることはなかった。そして、このような異文化集団の共存を可能としたのは、この地に住む人々の宗教的・文化的寛容性ではなく、「強力な王権がアラブ人を必要とし、

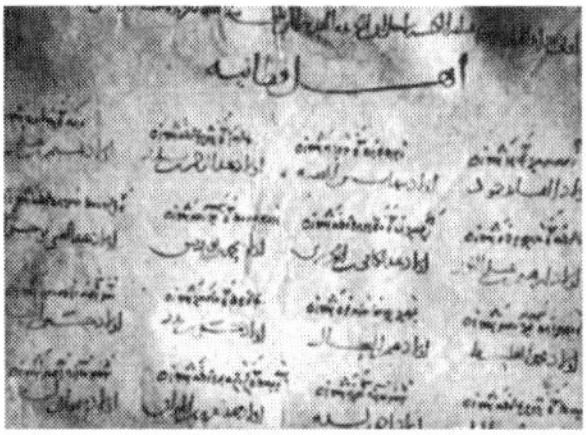

図 13　アラビア語とギリシア語で書かれた農民名簿
『中世シチリア王国』（高山博　講談社現代新書）より

図 14　エボリのペトルスの本に描かれた 12 世紀末のパレルモ宮廷の書記官たち。左から順に 2 名ずつ、ギリシア人、アラブ人、ラテン人の書記官を表している

彼らに対する攻撃や排斥を抑制していたから」であった。よって、ひとたび戦争や騒乱がおこると、（残念なことに）異文化集団に対する略奪や攻撃がおこなわれたようです。従って、王国のアラブ人人口が減少し、王権にとってアラブ人が不要となると、アラブ人住民に対する態度も冷淡なものとなってゆきました。

いっぽう、両シチリア王国以外でも、ピサやヴェネツィアなどの北イタリア諸都市は、ビザンツ帝国のコンスタンティノープルとの関係が深く、ギリシア語の写本などがもたらされました。そのため、ギリシア語からラテン語への翻訳活動がなされたのです。アリストテレスの書物もここで、例えばムールベーケのギョームによってラテン語に訳されて、これを用いたトマス＝アクィナスが、中世西ヨーロッパのキリスト教における世界認識とも言えるスコラ哲学を大成してゆくことになるのでした。

このような中で、イタリアのボローニャ大学をはじめ、サレルノ大学、神学で有名なパリ大学やオクスフォード大学などが次々と誕生し、現代につながる、これら伝統ある大学における文化・文明の継承と発展が目指されます。

山川出版社の『新世界史B 改訂版』という教科書は、中世のヨーロッパを極めて詳細に叙述している点が他社に比べて特徴的で、12世紀ルネサンスについて次のように説明しています。

「12世紀には、アラブ＝イスラーム世界に継承されていた古典古代の学問が、アラブ世界との接点であるトレドやシチリアでラテン語に翻訳され、ヨーロッパに受容された。こうした新しい知の流入とあいまって、知識や教師を求めて各地を遍歴する修道士や学生が都市に集まり、司教座付属学校や私塾で最先端の神学や自由七科を学ぶようになった。やがて、教師と学生が学びの場をまもるための団体を設立し、これが大学（ウニウェルシタス）の起源となった。こうしてボローニャ大学の創設（1088年）を皮切りに、パリ大学（12世紀中頃）・オクスフォード大学（12世紀後半）といった最初期の大学が誕生した。12世紀におこったこのような知の革新運動を、12世紀ルネサンスと呼ぶ。」

この部分は、東京外国語大学の千葉敏之氏が担当したと考えられますが、西ヨーロッパ世界における12世紀ルネサンスとは、イスラーム世界の学問研究がベースとなって生み出されたものなのでした。

5．まとめ

イスラーム世界におけるアラビア語の文化・文明は、西欧のキリスト教世界に古代ギリシアの文化・文明を継承するパイプ役となった、などと言われることがありますが、今まで見てきたように、実際には、イスラーム世界の知識人たちが、古代ギリシアや世界各地の文化を継承し、発展させ、さらに独創的な考えを付けくわえた上で、それらを西ヨーロッパ世界に伝えた、ということを忘れてはならないでしょう。文化・文明の終着点が西ヨーロッパで、イスラーム世界は古代から近代への橋渡しに過ぎなかったなどという、西ヨーロッパ中心史観とでも評される物の見方から、そろそろ私たちは自由になりたいものです。

この点に関して、かつての世界史教科書の叙述を紹介すると、次のようになります。

「イスラム教徒の哲学は、だいたいにおいてアリストテレスをもととし、それを受けついで述べる範囲をでなかった。しかしかれらのアリストテレス研究は、それがそのままヨーロッパのスコラ学に継承されたことと、イスラム教徒の神学者が哲学の用語と方法論とを学び、合理的で安定した神学体系を樹立したことなどに重要な意義がある。」

（１９８２年の『詳説世界史 再訂版』山川出版社）

いかがでしょうか？　なんだかイスラームの学問や文化が古代ギリシアを引き写しただけと言っているようではありませんか。

これに対して現在の教科書では、ようやく次のように叙述されるようになりました。

「イスラーム教徒はギリシア哲学、とくにアリストテレスの哲学を熱心に研究した。イスラーム思想界は、10世紀以後しだいに神秘主義思想の影響を強くうけるようになったが、信仰と理性の調和はよく保たれていた。それは神学者がギリシア哲学の用語と方法論を学び、合理的で客観的なスンナ派の神学体系を樹立したからである。イスラーム信仰の基礎として神秘主義を容認したガザーリーは、このような神学者の代表である。」

（２０１６年の『詳説世界史Ｂ 改訂版』山川出版社）

文化・文明の発展は、キリスト教ラテン文明世界とイスラーム教アラブ文明世界との接点であるイベリア半島南部、そしてキリスト教ラテン文明世界とギリシア文明世界、およ

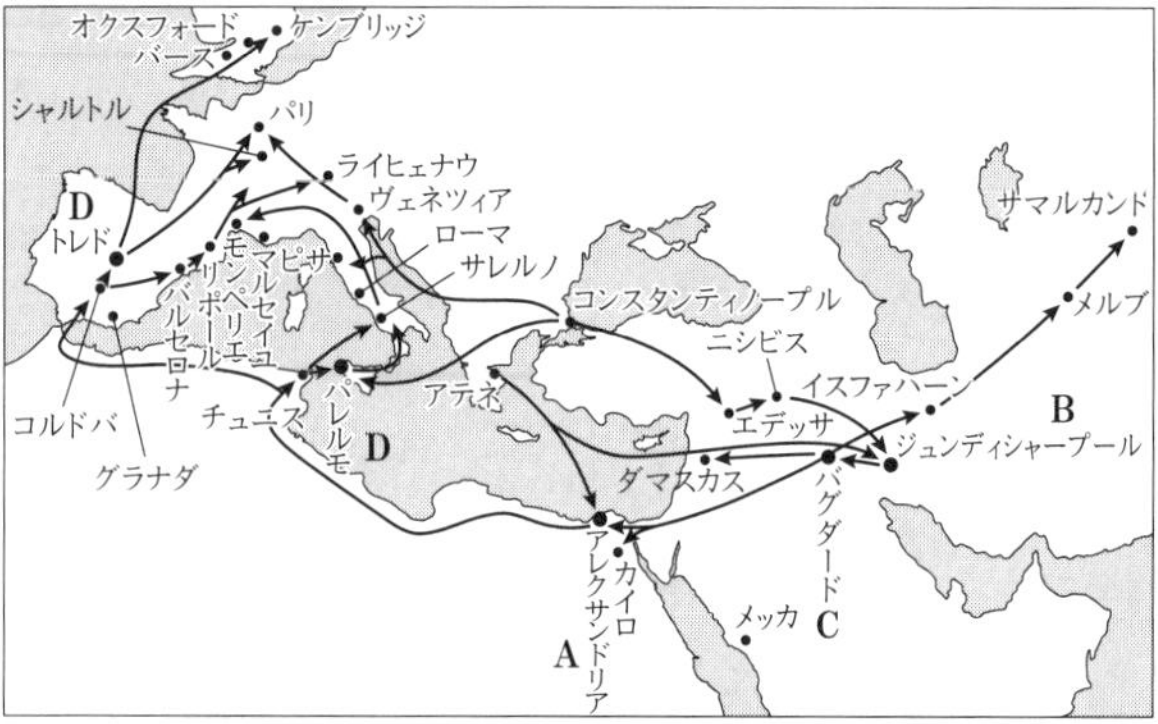

図15　5〜12世紀における学術移転の流れ

『十二世紀ルネサンス　西欧世界へのアラビア文明の影響』（伊東俊太郎　岩波書店）の原図を元に一部改稿

びイスラーム教アラブ文明世界の接点であるシチリアや北イタリアなどで顕著に見られました。考えてみれば当たり前となるのでしょうが、多様な文化・文明が交差する地域（境界線）においてこそ、ハイブリッドな新しい文化・文明が生み出される、そんな世界史のダイナミズムを垣間見ることができるのです。このような文化の継承と発展の中心地の変遷をAからDまで図15に表しました。

　Aのアレクサンドリアにおいて、ギリシアとオリエントの文化が融合するヘレニズムの文化・文明が発展し、それはササン朝の時代にBのジュンディシャープールの学院でペルシア語に翻訳されて継承され、さらに発展しました。イスラーム勢力が西アジアを席巻すると、Cのバグダードの知恵の館において学術書のアラビア語への翻訳が進み、古代の学術文献の多くを失ってしまった西ヨーロッパ世界へは、Dのパレルモやトレドなどを経由して、ラテン語への翻訳運動が盛んになるという形で、文化や文明が継承されて発展してゆきました。それはまるで、陸上競技のリレーのように学術書というバトンを受け渡しながら、さらに加速してゆく様を見るようではありませんか。

そして何よりも興味深いことに、この翻訳運動はキリスト教世界からイスラーム世界に対して繰り返しおこなわれたレコンキスタ（再征服活動）や十字軍といった軍事行動と時期的に重なりながら進んでいたのです。つまりキリスト教徒たちは、イスラーム世界への侵略や略奪行為をキリスト教の名のもとに何度もおこないましたが、同時にイスラーム世界からは進んだ文化をも積極的に学んでいた（文化財の略奪も含む）ということになるのです。

このようなことは、人間は宗教や政治や経済の対立によって互いに殺しあうことがあったとしても、文化はそのような不毛な敵対関係をも「軽やかに」飛び越えて相互理解を深めてゆくことができるのだ、という一つの事例として記憶にとどめておくべきではないでしょうか。ただし、両シチリア王国の事例が示すとおり、このような文化の普遍性は絶対

【関連年表】

前 3000 頃	メソポタミア、エジプトに古代文明が誕生
前 7 c	アッシリアによるオリエント統一
前 6 c	アケメネス朝によるオリエント統一
前 334〜前 323	アレクサンドロスの東方遠征
	[ヘレニズム時代]
	[プトレマイオス朝エジプトのアレクサンドリアにムセイオン建設、ギリシア科学の発展]
前 30	ローマによる地中海世界統一
後 224	ササン朝ペルシア建国
	[ジュンディシャープールで学術文献をギリシア語からペルシア語などに翻訳]
395	ローマ帝国東西分裂
476	西のローマ帝国滅亡
7 c	イスラーム勢力の拡大
750	アッバース朝建国
	[バグダード郊外に「知恵の館」を建設し、ギリシア語・ペルシア語文献をアラビア語に翻訳]
1085	レコンキスタによるトレド陥落
1096	十字軍遠征開始
12 c	この頃イベリア半島のトレドやシチリア島のパレルモなどでアラビア語・ギリシア語文献をラテン語に翻訳→12 世紀ルネサンス

的なものではなく、その時々の経済や政治の状況によって大きく影響を受けることもある、ということを忘れないようにしたいものです。

【解答例】
イスラーム世界に継承されていた学術文献は、国土回復運動や十字軍を機に、イベリア半島のトレドやシチリア島のパレルモなどでアラビア語からラテン語に翻訳され、西ヨーロッパに伝わった。（88字）

第四章　「カリフ」で読み解くイスラーム１４００年史

図1

今回は謎の多い絵を見てもらいましょう。図1の絵は何を表しているものなのか、すぐに分かる人はいるでしょうか。

画面の下に文字が書いてあり、どうやらこれはアラビア文字のようです。左の空から一人の人物が飛んできますが、背中には羽が生えていますのできっと天使なのでしょう。不思議なのは右の人物で、天使から何かを受け取っているか、もしくは手渡ししているようなのですが、その表情はまったく分かりません。というか、顔が白く塗りつぶされています。いったいどういうことなのでしょうか？

この絵に描かれている状況を説明した文章として正しいものを一つ選んでください。

（ア）右の人物が左の天使に何かを渡して、神への伝言を頼んでいる。

（イ）右の人物が左の天使を呼びつけて、神からの祝福を受け取っている。
（ウ）左の天使が右の人物の素顔を見るために空から舞い降りている。
（エ）左の天使が右の人物に神からの言葉を渡している。

答えを考えるにあたって、もう一つヒントを出しましょう。右の人物はムハンマドという名前です。そうです、世界宗教であるイスラームを始めたムハンマドです。これでお分かりになったでしょうか。この絵の説明は（エ）が正解。ムハンマドと神を天使であるガブリエル（ジブリール）が仲介しているというものでした。しかしそれにしても、ムハンマドはなぜ顔が白く塗りつぶされているのでしょうか？

そこで、論述問題を手がかりにして考えてみましょう。今回は東京大学で２００４年に出題された問題です。

カリフとは「代理人」の意味で、預言者ムハンマドの没後、その代理としてムスリム共同体（ウンマ）の指導者となった人のことを指す。単一のカリフをムスリム共同

体全体の指導者とする考えは近代に至るまで根強いが、政治権力者としてのカリフの実態は初期と後代では異なっていた。7世紀前半と11世紀後半を比較し、その違いを3つあげて120字以内で説明せよ。

（東京大　2004年）

1．預言者ムハンマド

さて、この設問には「カリフ」「預言者」「ウンマ」といったイスラーム理解の鍵となる用語が使われています。中でも「預言者」という言葉については注意が必要です。「預言者」とは未来を予測する者のことではありません。ややこしいのですが、「預言」と「予言」は文字が似ていて発音が同じですが、意味するところは大きく異なります。未来を予測することを「予言」と言いますが、「預言」の方は字義通り「言葉を預かる」という意味になります。だから、預言者とは「神の言葉を預かる者」、つまり神の言葉を聞くことのできる者という意味になるのです。

ということで、もうお分かりですね。冒頭の不思議な絵は、大天使ガブリエル（キリスト教にも登場しますね）が、ムハンマドのもとに神の言葉を届けに来たという劇的な瞬間を描いたものだったのです。そこで、若干《じゃっかん》残されている謎を理解するためにも、ここでムハンマドによるイスラームの誕生と特徴について、歴史をたどりながら簡単にまとめておきたいと思います。

（1）イスラームの誕生

アラビア半島には各地のオアシスをつなぐ隊商貿易をおこなうアラブ人たちがいましたが、ムハンマドはそのアラビア半島のメッカという町で6世紀後半に生まれました。当時、ササン朝と東のローマ帝国とがシリアをめぐる争いを繰り広げ、ユーラシアの東西を結ぶ「オアシスの道」と紅海を利用する「海の道」が利用しにくくなっていました（図2・次ページ）。ちょうどこの頃、アラビア半島西部を経由する中継交易が発展し、その中心都市であったメッカの商人たちが活躍します。その中で、ムハンマドは商業をおこなう親族集団であるクライシュ族の一員として生まれました。

しかし幼くして両親を亡くし、父の兄弟である叔父のアブー＝ターリブによって育てられました。叔父と共にラクダを使った隊商貿易で生計を立てていましたが、25歳の時に富

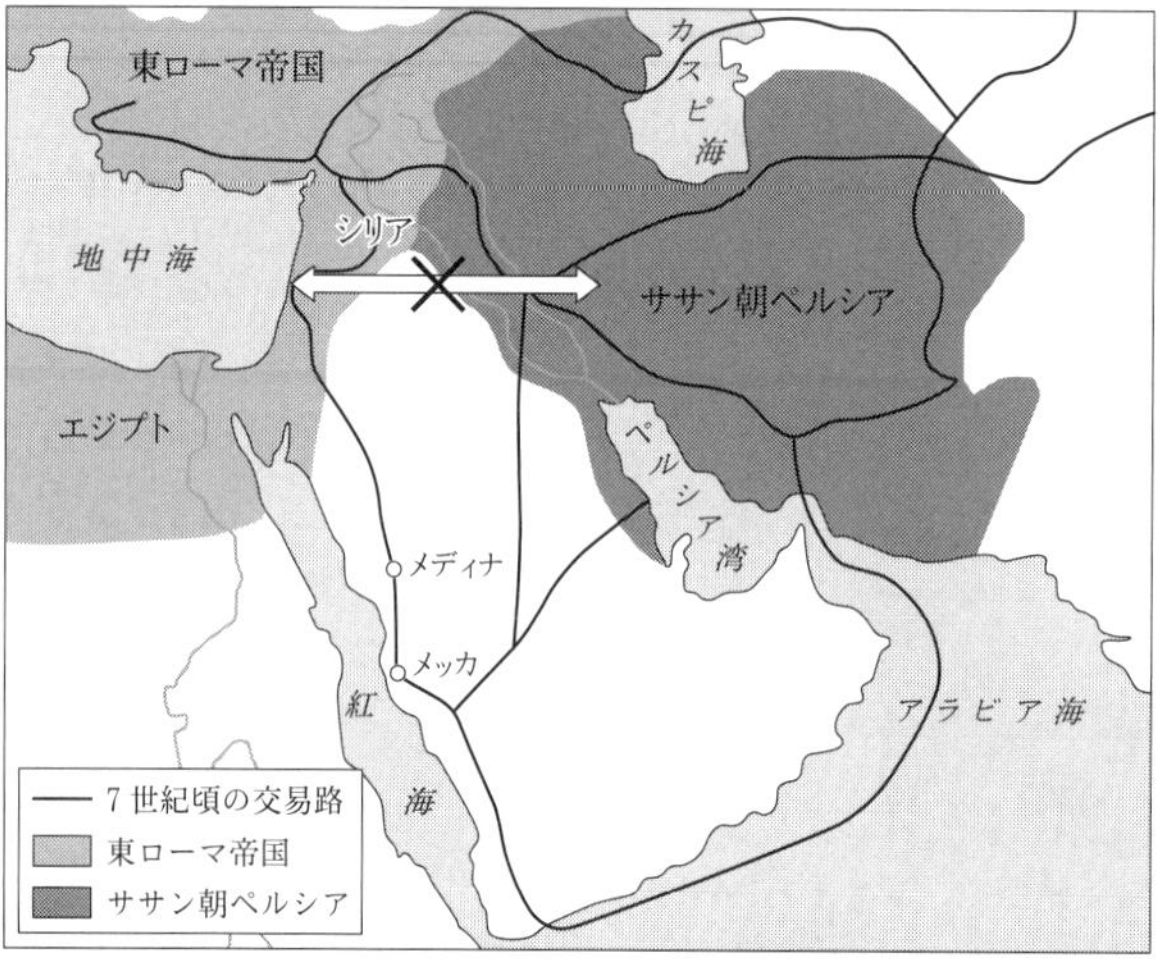

図2　7世紀頃、ムハンマド時代の西アジア

裕な女商人であるハディージャと結婚します。ハディージャはムハンマドよりも15歳年長の寡婦でしたが（ハディージャがムハンマドを見初めたようです）、夫婦仲は良く、2男4女に恵まれました。ただし、男子は2人とも夭折《ようせつ》してしまいます。

ハディージャの資産によって生活に困ることのなくなったムハンマドは、メッカ郊外にあるヒラー山にこもり、瞑想にふけるようになります。そのような中、冒頭の絵に見られる出来事がおこりました。西暦610年、ムハンマド40歳の時でしたが、洞窟での瞑想中に突然神の声を聞くようになりました。あまりの恐ろしさにムハンマドは、ハディージャのもとに逃げこんだと言われています。神の声は頭の中に響き、次々とムハンマドに命令を下します。動揺するムハンマドを支えたのが妻のハディージャでした。ムハンマドの話す神の言葉を最初に信じたのです。以後、ムハンマドの血縁や親友などが信者となっていきましたが、メッカの人々からは迫害を受けます。

なぜならば、当時のメッカは多神教の世界でしたが、ムハンマドが説いた神の言葉は、「ただ一人の神を信ぜよ」、というものだったからです。ムハンマド時代の研究をおこなっている後藤明氏は、当時のアラビア半島やメッカにユダヤ教徒やキリスト教徒がかなりいて、彼らの一神教としての教えにムハンマドが影響を受けたのではないかと考えています。

そして歴史の転換点がやってきます。西暦６１９年、ムハンマドが49歳の時ですが、育ての親で一族の長老である叔父のアブー＝ターリブと、神の声を聞くようになってからも常にムハンマドを精神的に支え続けた妻のハディージャがあいついで亡くなります。

メッカでのムハンマドと信者に対する風当たりはさらに強くなり、とうとう西暦６２２年に、北方のヤスリブへと脱出を図りました。新月の夜を狙っての逃避行は、わずか70名ほどであったと言われます。当時男性の信者はこれだけしかいなかったのです。しかしヤスリブで新たな信者を獲得することに成功し、ウンマと呼ばれる信者の共同体を作ります。

ウンマでは、信者たちが共に生活し、子どもを育て、政治をおこない、そして神に祈りを捧げました。それまでイェルサレムに向かっておこなっていた礼拝を、メッカの方角に向けておこなうようになったのも、この頃のことでした。

このヤスリブの町はのちにマディーナ・アンナビー（預言者の町。略称マディーナ、一般にはメディナと称される）と改称されて、現在に至っています。なお、メッカを脱出してメディナに移住した出来事はヒジュラ（聖遷）と呼ばれ、ここからイスラーム勢力の発展が始まるということで重視されています。のちにこの年を元年とするイスラーム暦（ヒジュラ暦）が制定され、現在もイスラーム世界で利用されています。

従って、イスラームの信者たち（ムスリム、ムスリマ）は、すべての歴史はヒジュラに始まる、という時間概念を持っています。キリスト教徒がイエスの生誕を起点とする暦を持つのと対比することができて興味深いです。ちなみにこのイスラーム暦（ヒジュラ暦）は「純粋な」太陰暦であり、月の満ち欠けをもって１か月とするため、１年は３５４日程度となり、実際の太陽運行年とは毎年ずれが生じます。そのため、月の名前と季節とは一致しないことになっています。

さて、ムハンマドは神の教えに則《のっと》った生活をウンマのもとで進めて信者の結束を固めま

【ムハンマド年譜】

570頃	メッカに生まれ、幼少期に父母を亡くす →叔父アブー＝ターリブが養父に
595（25歳）	ハディージャと結婚
610（40歳）	預言者の自覚
613頃	布教活動を始める。有力市民による迫害
619（49歳）	叔父アブー＝ターリブ死去。ハディージャ死去
622（52歳）	ヒジュラ（聖遷） ［ウンマ（イスラーム共同体）形成］
630（60歳）	メッカ征服
632（62歳）	メッカへの大巡礼（ハッジ）。五行（信仰告白・礼拝・喜捨・断食・巡礼）を定める 死去…アラビア半島をほぼ統一

す。そして630年、ムハンマド60歳の時ですが、メッカを征服しました。この時、メッカの多神教の神殿であったカーバ（英語のキューブの語源で立方体の建物）の偶像をことごとく破壊して、他の神々を「殺し」、アッラー以外に神はいないことを証明しました。そして632年にムハンマドが死去する頃には、アラビア半島のほぼ全域がイスラーム勢力の支配下におさまったのです。

（2）イスラームの特徴

ムハンマドによって始められたイスラームという宗教の特徴を簡潔にまとめておきましょう。

①　唯一神アッラーへの絶対的帰依《きえ》

この世界に神は一人しかいないという考えで、

この絶対的な帰依のことをイスラームと呼び、帰依した人のことをムスリム（女性はムスリマ）と言います。

② ムハンマドは最後にして最大の預言者

イスラームでは、ムハンマド以前にも神の言葉を聞くことのできる預言者がいたと考えています。例えば人類の始祖とされるアダム、神からの忠告を得て生きとし生けるものを箱舟に乗せて大洪水を乗り切ったノア、「十戒」を授けられたモーセ、福音を伝えたイエスなどがそれですが、ムハンマドはその中でも完全に神の言葉を伝えられる人物と考えました。そして、以後二度と預言者は現れないとされたのです。この点がのちに重要な論点となります。

③ 偶像崇拝を否定し、聖職者の存在を認めない

アッラーは唯一神であり絶対の存在です。なにしろこの世界を造ったのも、人間を造ったのもこの神です。時間も空間もすべて神によって創造されたものにほかなりません。よって、モーセの「十戒」でも示された通り、人間が神の姿を絵に描いたり、木や石に彫っ

たりすることは固く禁じられました。神そのもの以外を拝んだり敬《うやま》ったりすることは一神教の考えにそぐわないからです。同じ一神教でもイエスやマリアの姿を描いたり木に刻んだりするキリスト教は、その点においてかなり「いい加減」であると言ってもよいかもしれません。そして、唯一絶対の神の前では、信徒は皆平等です。よって、特別な聖職者階級を置かないのもイスラームの特徴となります。この点において特別な存在になりかねないのが開祖であるムハンマドです。そこでイスラーム世界では、ムハンマドを偶像としないために、あえて彼の顔を描かず、白い布で覆う形で表現したりしました。本章冒頭（１０６ページ）の図１の絵でムハンマドの顔が白く塗りつぶされていたのは、このような背景があったからでした。

④　啓典『コーラン（クルアーン）』

ムハンマドによって人間世界に伝えられた神の言葉は、のちに『コーラン』という書物にまとめられました。近年はアラビア語表記に近い『クルアーン』と呼ぶことが研究者の間では一般化していますが、ここでは広く知られた『コーラン』という表記で説明します。ムハンマドはアラビア語を話すアラブ人であったため、『コーラン』も当然ながらアラビア語で書かれています。意味は「読誦《どくしょう》されるもの」というところから分かる通り、韻を踏んだ美しい言葉で書かれています。機会があればぜひアラビア語の朗読を聞いて欲しいと思います。なお、岩波文庫に日本におけるイスラーム思想の先駆的な研究者である、井筒俊彦さんの翻訳による『コーラン』上中下3巻本があります。原典の文学表現などを踏まえた見事な日本語表現となっており、おススメです。

⑤ 啓典の民

イスラームは先行する一神教であるユダヤ教やキリスト教と同じ唯一の神を信じています。イスラームからすれば、ユダヤ教やキリスト教の聖典である『旧約聖書』や『新約聖書』は、不完全ながらも神の言葉を預言者を通じて残すものと理解されたことから、ユダヤ教徒やキリスト教徒は啓典の民と呼ばれました。イスラームでは、彼らに人頭税であるジズヤを支払わせることによってそれぞれの信仰を認めました。また、ユダヤ教やキリスト教の聖地であるイェルサレムも、開祖であるムハンマドがメッカからイェルサレムに天馬に乗って移動したのち、天上世界におもむいてアッラーと話をしたという、ムハンマドにとって唯一と言ってよい奇跡を見せた場所であることから、イスラームにとっても重要

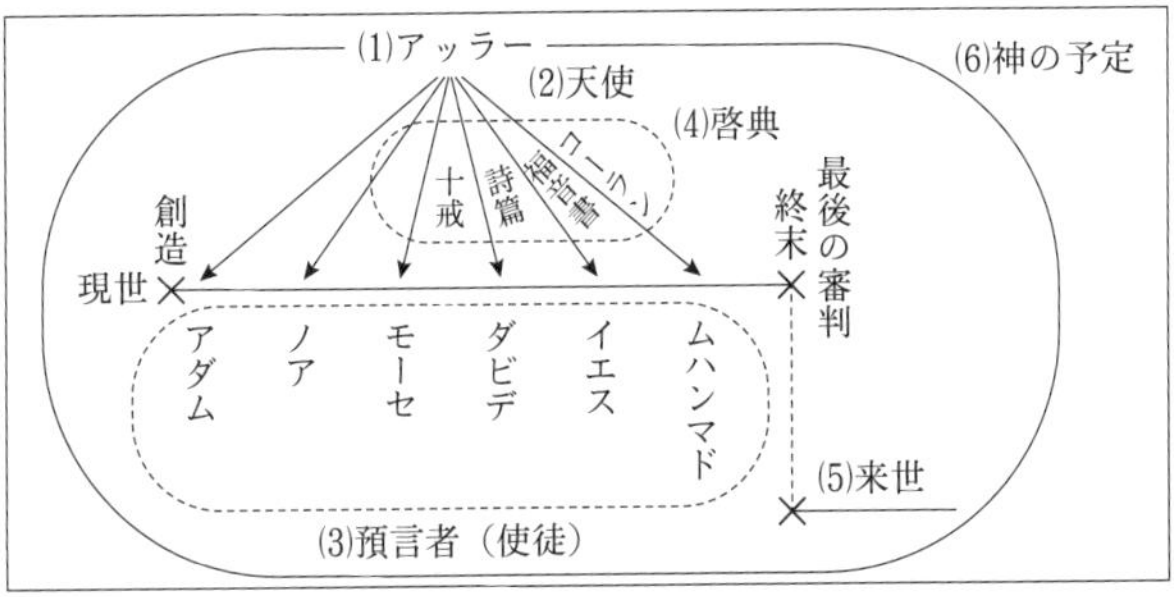

図3 イスラームの世界観

『世界史リブレット15 イスラームのとらえ方』（東長靖 山川出版社）の原図を元に一部改稿

な聖地とされています。この時ムハンマドが天上世界に昇る踏み台としたとされる巨大な石を覆う形で、イスラーム世界に現存する最古のドーム建築と言われる岩のドームが建設されています。

⑥ 六信五行

イスラームの信者である以上、信じるべきこととおこなうべきことをまとめて六信五行と言います。六信とは、〔1〕アッラー、〔2〕天使、〔3〕預言者、〔4〕啓典、〔5〕来世、〔6〕神の予定を信じることです。このうち、〔2〕の天使は本章冒頭の絵に描かれた大天使ガブリエルなど、神と人間を媒介する存在のこと、〔6〕の予定とは唯一絶対の神が定めた未来や運命のことを指します。図3はこれを図解したものですが、まさに六信とは唯一神であるアッラーが

図4　巡礼者で埋まるメッカの聖モスク

この世界や時間や人間をつくり、秩序づけ、来世に向かってゆくというイスラームの世界観を示すものであることが分かるでしょう。

また、五行とは、〔1〕「アッラーのほかに神はなく、ムハンマドはその預言者なり」と唱える信仰告白、〔2〕メッカの方角に向かっておこなう礼拝、〔3〕自分の財産などを困っている人に提供する喜捨、〔4〕1年のうちラマダーンと呼ばれる特定の月におこなう断食、〔5〕最大の聖地であるメッカへの巡礼（図4）のことです。

2．正統カリフの時代（632〜661）

どの宗教もそうなのでしょうが、最大の危機は開祖が死んだときでしょう。特にイスラームの場合には、先に見たとおり「ムハンマドは最後にして最大の預言者」であるとされましたので、以後二度と神の言葉を聞くことのできるものは現れません。ムハンマドが死去した時点でイスラーム勢力は、ほぼアラビア半島全域を押さえていました。従来は遊牧や隊商交易をおこなって、移動生活をおくっていたアラビア半島の人々を、ムハンマドが伝える神の言葉の力によってまとめあげていたわけですが、とうとうそれができなくなりました。

この宗教共同体の危機に、イスラーム教徒たちはどのように対処したのでしょうか。信者たちが出した解答は次のようなものでした。

二度と預言者が生まれないのであれば、預言者の代理人・後継者を有力な信者たちの中から選出しよう、と。この預言者の代理人・後継者のことをカリフ（ハリーファ）と呼びます。アラビア語ではハリーファと発音されるので、本来そのように表現すべきなのですが、日本では英語表記であるカリフという呼び名が一般化していますので、ここでもそのように書きます。

最初に信者たちによってカリフに選ばれたのはアブー＝バクルでした。彼は、図5（次ページ）の家系図に見られる通り、ムハンマドと同じクライシュ族の出身で、預言者ムハンマドの幼なじみにして親友であり、最も早くからムハンマドの説く神への帰依を表明した人物でした。また、その娘アーイシャはハディージャに先立たれていたムハンマドに嫁いでいましたので、アブー＝バクルはムハンマドの「義理の父」でもあったのです。この

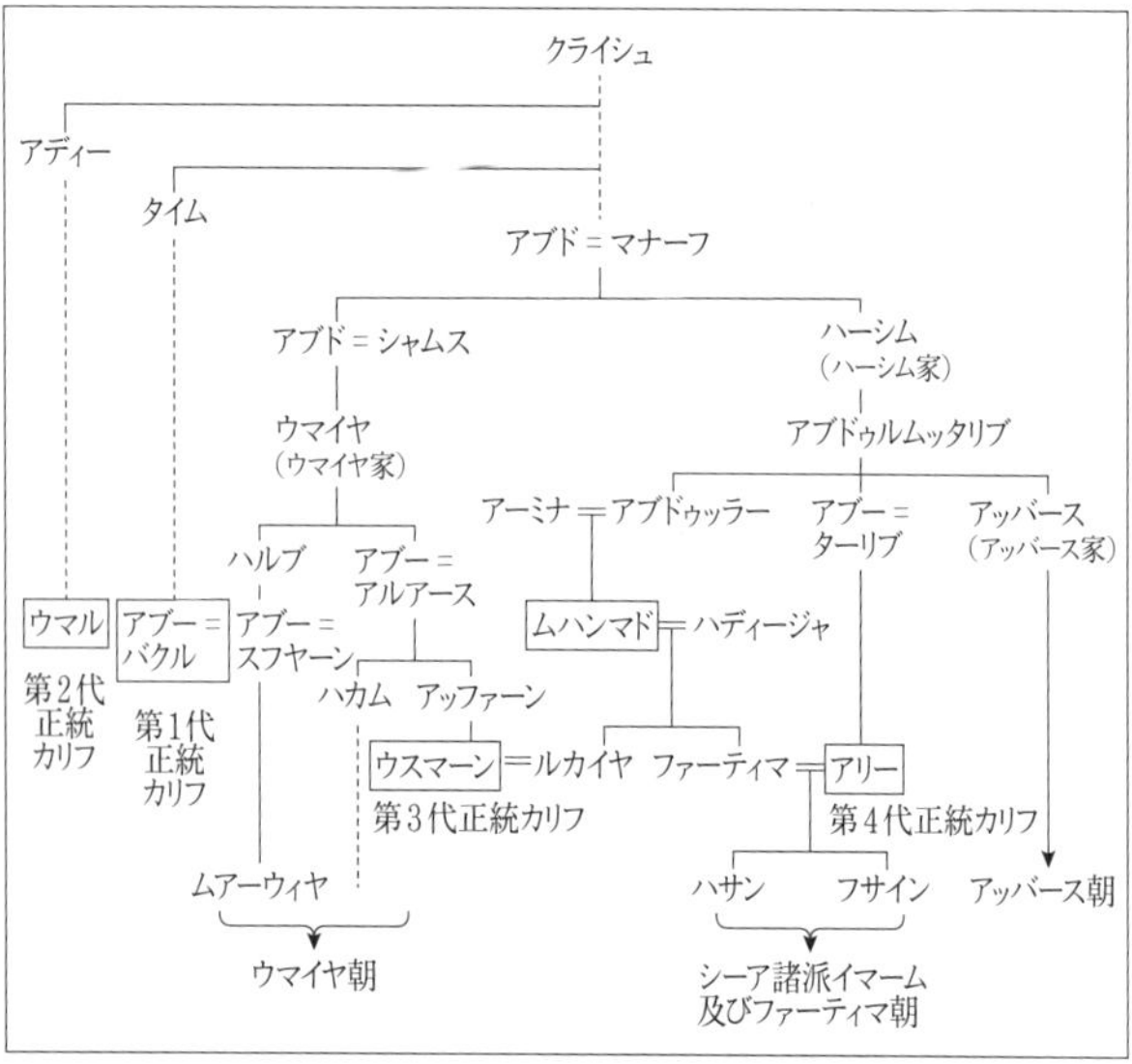

図5　ムハンマドと正統カリフの系図

ような、信者たちの長老であり、ムハンマドと深く結びついていたアブー＝バクルは、まさにカリフに適任であったと言えるでしょう。

その後、2代目カリフのウマルも娘のハフサをムハンマドに嫁がせていましたし、3代目のウスマーンは逆にムハンマドの娘であるルカイヤを娶《めと》っていますから、彼らは皆ムハンマドと義理の親子関係を結んでいました。

このようなカリフたちのことを、信者の選挙によって選ばれたものであったため、「正統カリフ」と呼んでいます。そして、4代目の正統カリフであるアリーが登場しますが、このアリーは極めて重要な人物です。どのような点が重要なのか、家系図をよく見て考えてみてください。

お気づきの通り、まずアリーは、父と母を失ったムハンマドを引き取って息子同様に育てた叔父であるアブー＝ターリブの息子で、ムハンマドからすれば従弟にあたります。さらに、ムハンマドはまだ幼かったアリーを自分の養子に迎えて育て、立派な大人にします。そして、自分の娘であるファーティマとアリーを結婚させたのでした。ということで、アリーこそは預言者ムハンマドと二重三重に結びついた重要人物なのでした。繰り返しましょう。ムハンマドの育ての親の息子で従弟であるアリーは、ムハンマドの養子となり、娘の婿となりました。当時、アリー以上に重要な人物はいませんでした。

この4代にわたる正統カリフ時代にはジハード（聖戦）と呼ばれる征服活動がさかんにおこなわれ、イスラーム勢力の拡大が始まります。第三章で述べたように、一昔前までは、イスラーム勢力によるこのジハードでは「コーランか剣か」と唱えられた、と言われていました。つまり、征服地の人々に対してイスラームへの改宗をせまり、それを拒否する場合には剣で滅ぼすぞ、というものでした。しかし、その後の研究の進展によりその認識は誤りであることが明らかとなり、「コーランか剣か貢納か」であったと言われるようになりました。改宗か、あくまで抵抗して殺されるか、それとも降伏して税を納めて元々の宗教や統治形態を維持するかという3択であったというのです。歴史的にはもちろん「コーラン」か「貢納」をほとんどの人々が選択したことは言うまでもありませんし、イスラーム勢力の側も無理やり改宗させるよりは、税を確実に徴収する方が得策であると考えていたようです。

さて、正統カリフ時代に、例えば東方では６４２年のニハーヴァンドの戦いでササン朝を破り、のちにこれを滅ぼす（６５１年）と、イラクからイランを制圧しました。西方ではビザンツ帝国（東のローマ帝国）よりシリア・エジプトを奪い、穀倉地帯を手に入れます。それぞれの征服地には、ミスルと呼ばれる軍営都市を建設し、そこに支配者としてのアラブ人が移住した結果、アラブ世界が拡大してゆきます。ここまで書いてくれば、次の図7の地図にあるような現在の「アラブ世界」が、なぜこのような地域に広がっているのかという理由がお分かりいただけたことと思います。正統カリフ時代以後、続くウマイヤ朝やアッバース朝の時代に、支配拠点となったミスルに駐屯したアラブ人が各地に広がって、元々はアラビア半島に住んでいたアラブ人が話していたアラビア語を話す地域が増えていったからでした。現代につながるアラブ世界というものの発展は、イスラーム世界

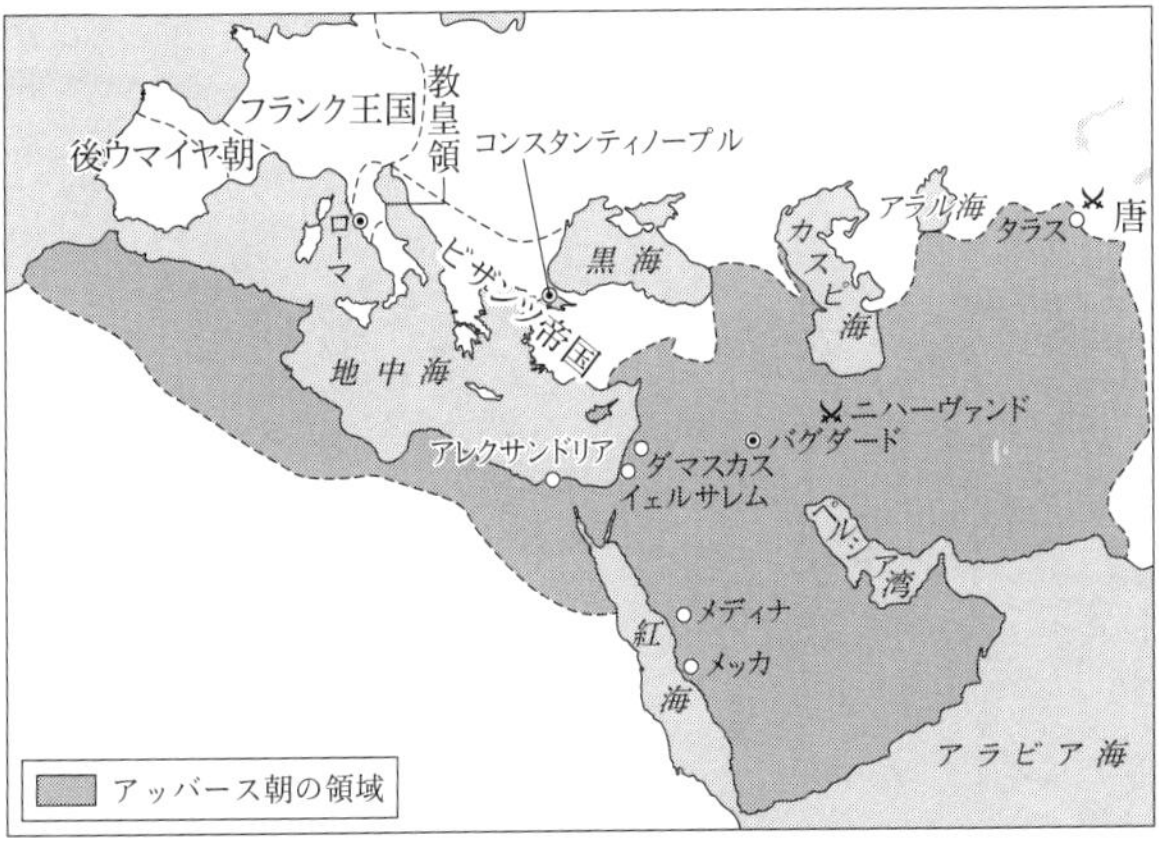

図6 アッバース朝の領域（8世紀）

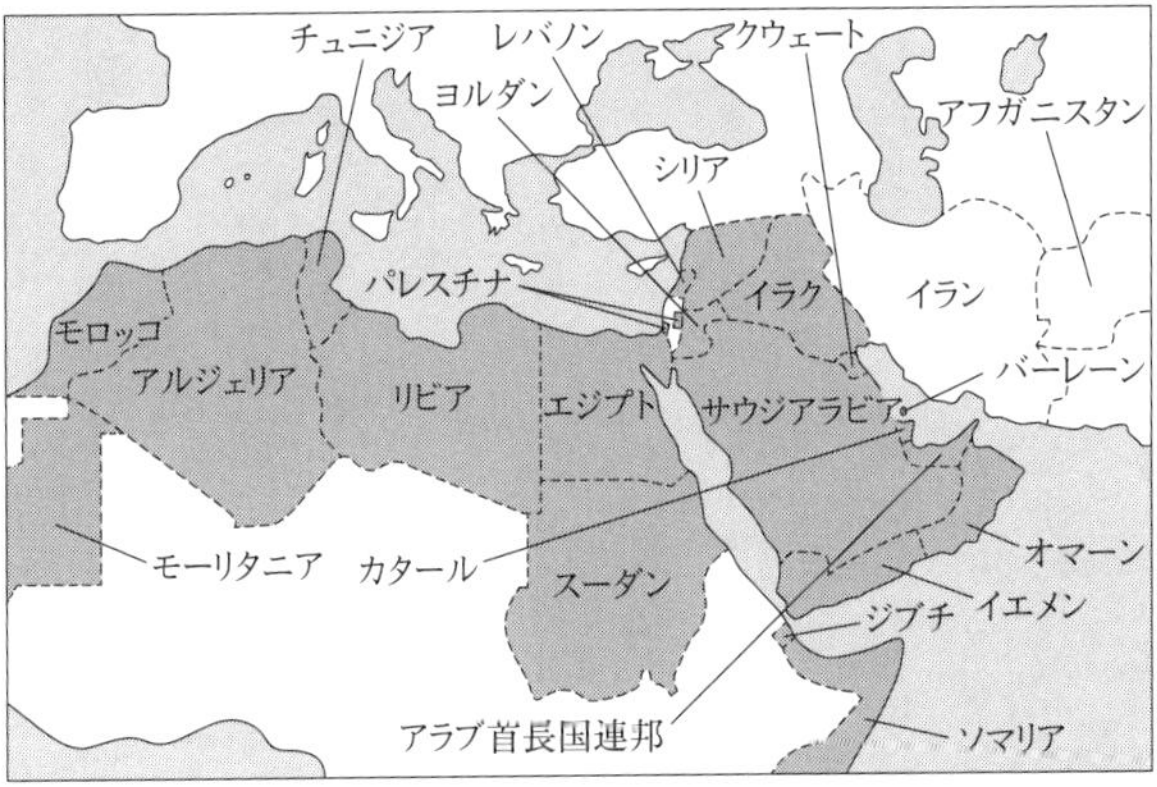

図7 現代のアラブ世界

の拡大と共に進んだのでした。アッバース朝時代の版図《はんと》（図6）から、現在のイランやアフガニスタンを除くと、おおよそ現代のアラブ世界（図7）に重なることが地図で確認できることと思います。

イラクやシリアやエジプトなど古代文明が栄え、独自の言葉を話していたはずの人々が、現在アラビア語を話しているのは、このような歴史が背景にあったのでした。

3．カリフ制の変質

（1）世襲

さて、預言者ムハンマドと二重三重に結びついたアリーが4代目のカリフになったと書きましたが、実はそれに反対するものたちがいました。中でも3代目のカリフであるウスマーンを出したウマイヤ家の当主であるムアーウィヤは、アリーのカリフ就任を認めず、自分の地盤であるシリアにおいてカリフと称します。当時の信者たちの意見は割れ、アリーを支持する者とムアーウィヤを支持する者とで対立が生まれました。

いっぽう、アリーにもムアーウィヤにもなびかない独立勢力も存在し、その中のハワーリジュ派（分離派）と呼ばれる人々は、信者の分裂を招いたアリーとムアーウィヤの双方に刺客をはなちました。この結果はどうなったでしょうか？　アリーは暗殺されましたが、ムアーウィヤは生き残ったのです。かくして、4代にわたる正統カリフ時代は終わりを告げ、ムアーウィヤ以後はカリフの地位が弟や息子などに世襲されるようになったのです。ムアーウィヤはウマイヤ家の出身だったので、これをウマイヤ朝と呼びます。つまりムアーウィヤ以後、カリフは信者たちの選挙によって選ばれる存在から、世襲の君主のような存在へと転換したと言えるのです。

　なお、この時暗殺されたアリーとその子孫のみをイスラーム共同体の指導者であるとし、ウマイヤ朝など歴代カリフによる統治を認めないとする一派のことをシーア派と呼びます。シーア派の名前は「シーアッド＝アリー（アリーの党派）」という呼び名から派生したもので、シーア派は現在のイランやイラクなどを中心に大きな勢力となっています。

（2）鼎立《ていりつ》

　さて、その後のイスラーム世界は、ウマイヤ朝からアッバース朝へと王朝が変わっても、カリフが唯一の統治者であるという政治の仕組みには大きな変化はありませんでした。しかし、10世紀ごろからアッバース朝のカリフ権が衰えはじめ、各地で自立した動きが始まります。このあたりの状況を東京書籍の『世界史Ｂ』は次のように描きます。

「地方政権の成立は、イスラーム世界の政治的分裂を意味していたが、イラン人やトルコ人、ベルベル人など、それまでイスラーム世界の周辺にいた諸民族の間にイスラーム教が普及していったことの反映でもあった。

9世紀後半に入り、マムルーク軍団がカリフを廃立するなどして政治に介入するようになると、アッバース朝のカリフは統治者としての立場を失い、10世紀には、有力な軍人が大アミール（大総督）に任じられて、イラクなど帝国中央部の統治の実権を握るようになった。」

やがて、シーア派を奉ずる勢力がチュニジアでベルベル人を組織してファーティマ朝を建てます。ここで一つ気がつくことがないでしょうか。ファーティマってなんでしたっけ？　そうです、ムハンマドの娘でアリーと結婚した女性の名前でしたね。つまりこの王朝は、ファーティマの子孫であることを誇示することにより、ムハンマドの直系であると同時に、正統カリフであるアリーを受け継ぐシーア派であることを示し、アッバース朝カ

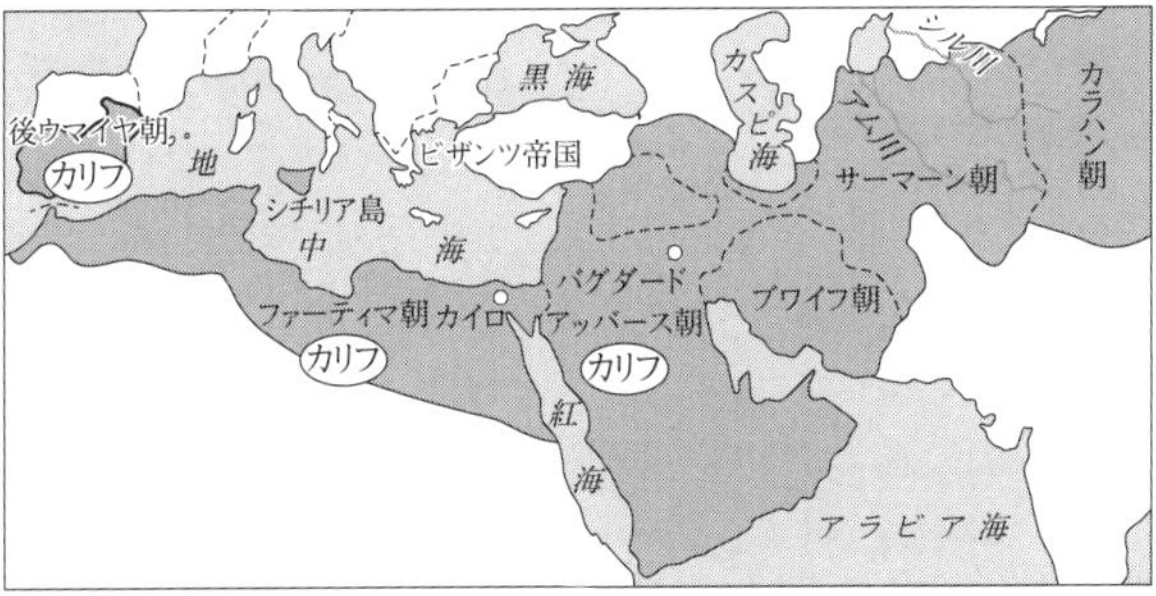

図8　分裂したイスラーム世界（10世紀）

リフの権威に挑戦したのです。ウマイヤ朝以後の歴代カリフを認めるスンナ派を否定して、自らをイスラーム世界の指導者であるカリフと称したのです。これにより、イベリア半島で自立していたもののアッバース朝カリフの権威を認めていた後ウマイヤ朝も、ファーティマ朝への対抗上カリフと名のることになりました。この結果、イスラーム世界に3人のカリフが並び立つ状態となってしまったのです（図8）。アッバース朝の1人のカリフのもとでまとまっていたイスラーム世界（ウンマ）が、三つに分裂してしまいました。これ以後、紆余曲折《うよきょくせつ》はあるものの、現在に至るまでイスラーム世界が一つにまとまることはなくなってしまったのです。

（3）スルタン制の開始

ところで、「トルコはトルコではなかった」と言ったら皆さんは信じてくれるでしょうか。何を言っているのか分かりにくいですね。「トルコにはトルコ人はいなかった」と言い換えてみましょう。トルコ語を話す人々のことをトルコ人と呼びますが、彼らはもともと中国の北方から中央アジアの草原地帯で遊牧生活をおくっていました。彼らトルコ人はアッバース朝の頃に中央アジアでイスラームに触れ、次第に改宗する者が出始めます。また、アッバース朝は、馬に乗って戦うことのできる機動力のあるトルコ人を軍人として採用し始めます。

　このようなトルコ系の軍人のことをマムルークと呼びますが、中央アジアにおいてイスラームへと改宗したトルコ人の中から、１０３８年にセルジューク朝を開いたトゥグリル＝ベクに率いられた軍団が、１０５５年にアッバース朝の都バグダードに入ります（図9）。圧倒的な軍事力を持つトルコ人の軍団と、それを統率するトゥグリル＝ベクに対し、アッバース朝のカリフはスルタンという地位を授けます。これにより、武力による統治者であるセルジューク朝のスルタンが政治の実権を握るスルタン制が始まり、カリフは名目的な存在となって、スルタンなどの地位を与えるだけの権威者としてかろうじて存続することになりました。日本の歴史に例えるならば、武家政権のもとで政治的な実権を失った天皇が、関白や征夷大将軍などの官爵を与える権威のみをもつようになったことと似てい

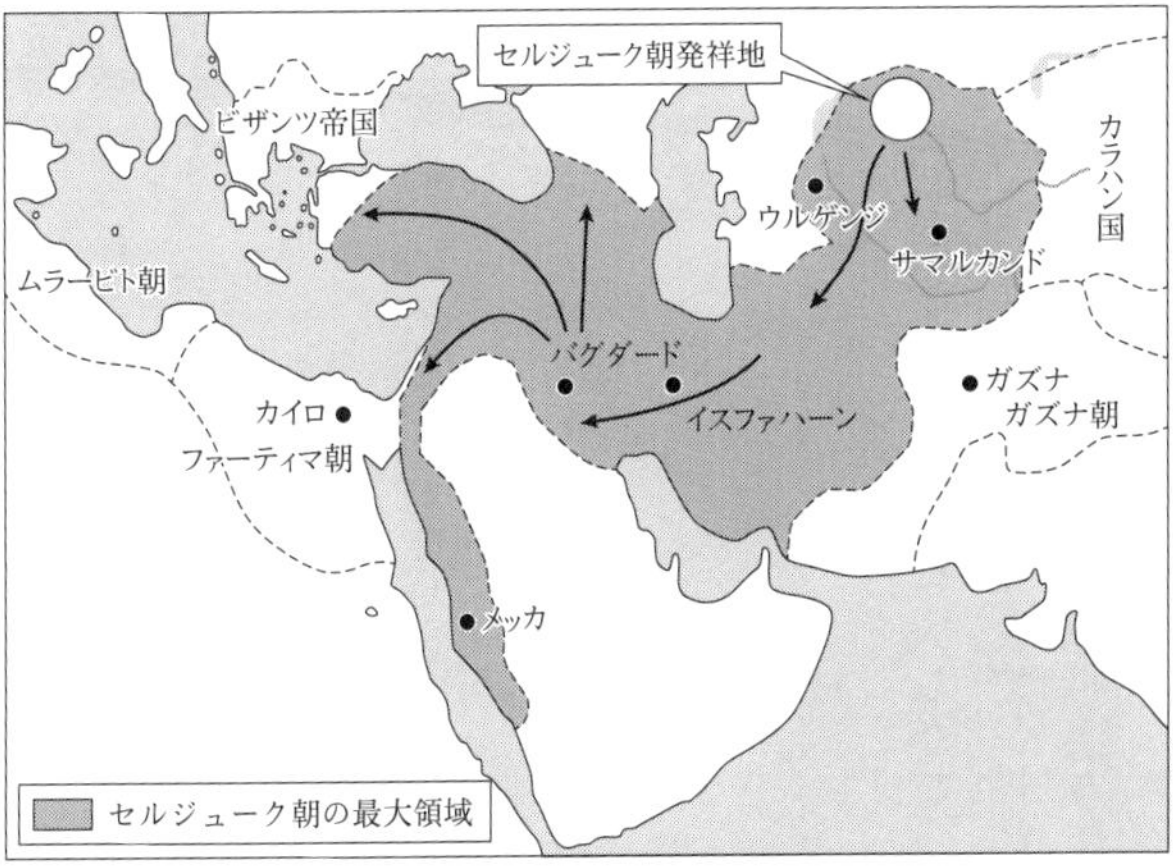

図9　セルジューク朝の最大領域（11世紀）

るのではないでしょうか。

イスラーム史の研究者である三浦徹氏によれば、「カリフがムハンマドから受け継いだのは政治的権限だけであり、宗教の教義にかんする決定権はもたず、それはウンマの全体、実際にはウラマー〈引用者注：イスラーム法学者〉の合意に委ねられていた。したがって、イスラームの国家観念からすれば、カリフは、軍人のスルタンやアミールにたいして、自らが保持していた統治権を委ねたのであり、権威の源泉はカリフにあった。」（『新版　世界各国史8　西アジア史Ⅰ』山川出版社）と説明されます。

　このスルタン制は他のイスラーム諸国にも広がり、カリフの指示ではなく、スルタンの指示に従う政治が広まってゆくのです。スルタンは、ほぼ「国王」という意味合いで使われるようになりますが、現代世界でもオマーンやブルネイ、マレーシアなどでこの称号が使われています。

ちなみに、セルジューク朝のトルコ人たちはアナトリアに入ってゆき、現地のギリシア系の人々などと混じりながらそこを「トルコ化」してゆきました。アナトリアとは現在のトルコ共和国の地域を指します。ここに初めて「トルコにトルコ人がいるようになる」のでした。

さて、ここで論述問題の解答を示しておきましょう。

【解答例】

7世紀前半のカリフは一人しかおらず、政治上の指導者として信者による選挙で選ばれた。しかし11世紀後半までに複数のカリフが並び立ち、世襲となったうえ、セルジューク朝のスルタンが政治的権力を握ったことにより、カリフの権力は有名無実化し

た。（116字）

その後の展開を確認しましょう。実際のところ、複数のカリフが並び立つことになったとは言え、後ウマイヤ朝が11世紀に、ファーティマ朝が12世紀に滅亡したことに伴って、カリフは再びアッバース朝のみとなりました。そこではセルジューク朝以後、スルタンが政治の実権を握り、カリフは徐々に名目的な存在となったことも確かです。

このようなカリフ制の有名無実化とイスラーム世界の分裂は、先ほどの東京書籍の教科書の記述のように、トルコ人やイラン人そしてベルベル人など様々な人々にイスラームが広まった結果ととらえることができます。つまり、イスラーム世界の分裂というものは、実はイスラーム世界が多様で豊かなものとなったことの反映でもあったと考えることができるでしょう。

この出題から、東京大学の先生方がイスラーム世界の多様な展開を歴史的に把握してほしい、というメッセージを発していると受け止めることができると思います。

4．その後のカリフ制～現在

「ムハンマドの顔がなぜ白く塗りつぶされているのか」に始まって、カリフ制の変遷について皆さんと一緒に歴史的に考えてきましたが、最後にちょっと長いエピローグを書きましょう。

（1）アッバース朝の滅亡

750年に成立したアッバース朝は、11世紀以後衰えてゆくとは言え、カリフ制のもとでイスラーム世界の中心点として重要な役割を果たし続けました。しかし、チンギス＝ハンの孫にあたるフラグの軍勢が1258年にバグダードを攻略し、アッバース朝のカリフも殺害されてしまいます。この時の様子は次のように伝えられています。モンゴルの伝統的な方法により、貴人を処刑する際にその血を大地に流さないため、カリフを絨毯《じゅうたん》にくるみ、その上から馬で踏みしだいたとのことです。どうせ殺されるならもっとあっさりと殺して欲しいなと思うのは私だけでしょうか。

さて、イスラーム思想史の研究者である東長《とうなが》靖氏は、このようなカリフがいなくなってしまった事態を、風呂敷とみかんにたとえて次のように言います。

「たくさんのみかんを風呂敷で包むとする。風呂敷の結び目などはほんの小さな部分である。しかしながら、この小さな結び目にちょんと鋏《はさみ》をいれただけで、風呂敷は全体を包み込む力を失い、なかのみかんはばらばらになってしまうのだ。」(『世界史リブレット15　イスラームのとらえ方』山川出版社)

　面白いたとえ話ですが、何を意味しているかはだいたいお分かりになるかと思います。みかんはもちろんイスラームの信者たち、風呂敷とはイスラームの共同体であるウンマ、そして風呂敷の結び目がカリフというのが種明かしです。アッバース朝とそのカリフは、既に実権を失って久しかったのですが、１２５８年のモンゴルの侵攻によるアッバース朝の滅亡とカリフ制の消滅は、東長氏のたとえ話のように、全世界のムスリムたちをカリフ制という一つの原理や思想でまとめることができなくなった時代の始まりを意味していたのでした。

(2) マムルーク朝による政治利用

　とは言え、イスラーム世界のすべてがモンゴル軍の支配下に落ちたわけではなく、モンゴルの侵攻を食い止めたマムルーク朝がイスラーム世界の新たなリーダーとなります。マムルーク朝はエジプトのカイロを都としたスンナ派の王朝で、西進してきたモンゴルのフラグ配下の軍勢を、シリアのアインジャールートで破り、エジプト以西のイスラーム世界の防衛に成功します。軍人出身のトルコ系マムルークが建てた王朝であるマムルーク朝は、自らの支配の正統性を担保するため、滅亡したアッバース朝カリフの一族をカイロで保護します。これが本当にアッバース家の者であったのかについては議論があるところですが、カリフの保護者として自己を規定し、また聖地メッカとメディナを支配下に置いたことで、イスラーム世界におけるリーダーとしての地位を確保したのでした。

これをイスラーム史研究の第一人者であった佐藤次高氏は、次のように説明します。マムルーク朝によって擁立された「新カリフは城塞にあって、カイロ市民との接触を禁じられ、もっぱらスルタンに正統性を与える『政治の道具』として利用されたに過ぎなかった」（『世界歴史選書　イスラームの国家と王権』岩波書店）と。

（３）オスマン帝国によるカリフ制の消滅と「復活」

１５１７年にマムルーク朝を滅ぼしてエジプトやシリアを飲みこみ、メッカとメディナの２聖都をおさえたオスマン帝国（図10）にとって、カリフの権威は別段必要ないもので

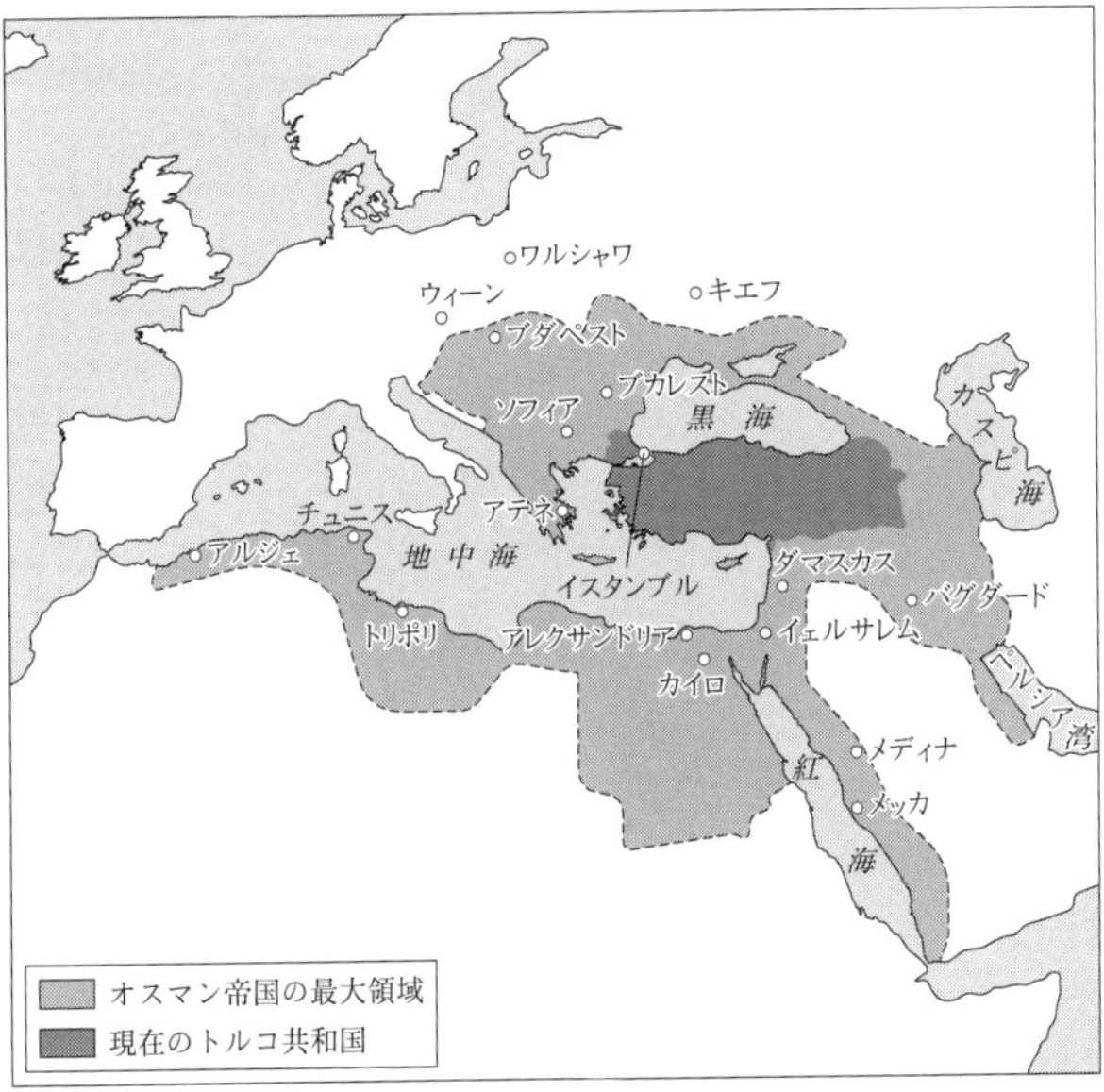

図10　オスマン帝国の最大領域

した。ムハンマドが死去したのちから続いてきたカリフ制はここに終わりを告げたと考えられ、オスマン帝国の皇帝はスルタンとだけ名乗っていました。しかし、18世紀末ごろより状況が変わってゆきます。

先に紹介した佐藤次高氏は、1774年のオスマン帝国とロシアとの間で結ばれたキュチュク＝カイナルジャ条約の際、クリミア半島におけるオスマン帝国の勢力圏にロシアが足がかりを得る見返りとして、ロシアはオスマン帝国のスルタンに対して「ムスリムのカリフ」としての一定の権限を持つことを承認したと説明します。当初はイスラームの法学者であるウラマーたちの賛同を得られませんでしたが、以後オスマン帝国のスルタンは、１５１７年にマムルーク朝を滅ぼした時点で「すでにエジプトのカリフ位を継承しており、それゆえにスルタン・カリフ制は正統だとする主張を展開しはじめた。一九世紀になると、この見解はオスマン朝の内外で広く受け入れられ」たとしています（前掲『イスラームの国家と王権』）。

つまり、オスマン帝国の勢力後退とともに、皇帝権を強化する必要がうまれ、16世紀以来スルタンだけでなくカリフの権限も保有していたのだ、という一種の「歴史的虚構」を主張し始めたということになります。そしてそれは、ヨーロッパの侵略に苦しむ他のイスラーム諸国においても受け入れられていったというのです。西欧キリスト教諸国に対抗するためにも、イスラーム世界のリーダーとしてカリフの存在を必要としていたのでしょう。

（４）カリフ制の完全消滅

今から約１００年前に勃発した第一次世界大戦でのオスマン帝国の敗北を機に、隣国のギリシアが侵攻してアナトリアの西岸部を押さえてしまいます。また、オスマン帝国政府は亡国的なセーヴル条約を戦勝国と結ばざるを得ず、領土の多くを失いました。なすすべのないイスタンブルのオスマン帝国政府にかわり、ギリシア軍を撃退してアンカラにトルコ大国民議会を招集したのがオスマン帝国の軍人だったムスタファ＝ケマルでした。

　ムスタファ＝ケマルはトルコ革命をおこしてオスマン帝国政府を倒し、１９２２年にスルタン制を廃止します。また、２年後の１９２４年にはカリフ制も廃止しました。ここに、６００年以上続いたオスマン帝国が滅亡すると同時に、断絶はあったものの、１３００年近く続いてきたカリフ制は消滅したのです。

　ムスタファ＝ケマルはのちに「トルコの父」の意味であるアタテュルクの称号を受ける人物ですが、初代大統領として政教分離を掲げ、トルコ共和国の世俗化を進めました。つまり、世界のムスリムたちは、その後一貫して「ポスト・カリフ」の時代を生きてきたのです。

（5）「自称」カリフ

　カリフとカリフ制それ自体は、今から約１００年前に消滅しました。しかし、現代世界においてもカリフ制には一定の影響力が残り、それを政治的に利用しようとする者も後を絶ちません。カリフとカリフ制は、まだ過去の歴史にはなっていないのです。

混迷が続くイラクの北部において、２０１４年に「イスラム国（ＩＳ）」の樹立が宣言されたと聞いて驚いた人も多いのではないでしょうか。また、その指導者とされるアブーバクル＝バグダーディーがカリフを称したと報道され、耳目を集めました。彼はアッバース朝カリフの系譜に属する者ではなく、しかも多くの信者からの信任を得たわけでもないため、一般のムスリムたちからの支持を得ることはできませんでした。その後２０１９年に、アブーバクル＝バグダーディーは米軍による軍事作戦で死亡しました。

しかし、政治的に何事かを成し遂げようとする勢力や政治家が、歴史的な出来事や事実を自分にとって都合の良いように利用することは、世界の歴史の中では残念ながらよく見られることです。かつてイスラーム世界において、大きな影響力を持っていたカリフ制の復活を唱えるという、そのこと自体が何を意味し、何を意図しているのかを見抜くためにも、世界の歴史を学びたいものです。

【関連年表】

632	ムハンマド死去
	[正統カリフ時代]
661	ウマイヤ朝成立〈カリフの世襲制を確立〉
750	アッバース朝成立〈カリフ制存続〉
10 c	大アミール職設置
11 c	スルタン制開始
1258	アッバース朝滅亡
	[マムルーク朝がカリフを保護]
1517	マムルーク朝滅亡〈カリフ制の一時消滅〉
18 c 末	オスマン帝国がスルタン・カリフ制を提唱〈カリフ制の復活〉
1922	オスマン帝国滅亡
1924	ムスタファ=ケマルによりカリフ制廃止
2014	「イスラム国」がカリフ制復活を宣言

第五章　アジア世界を束ねた清朝皇帝「四つの顔」

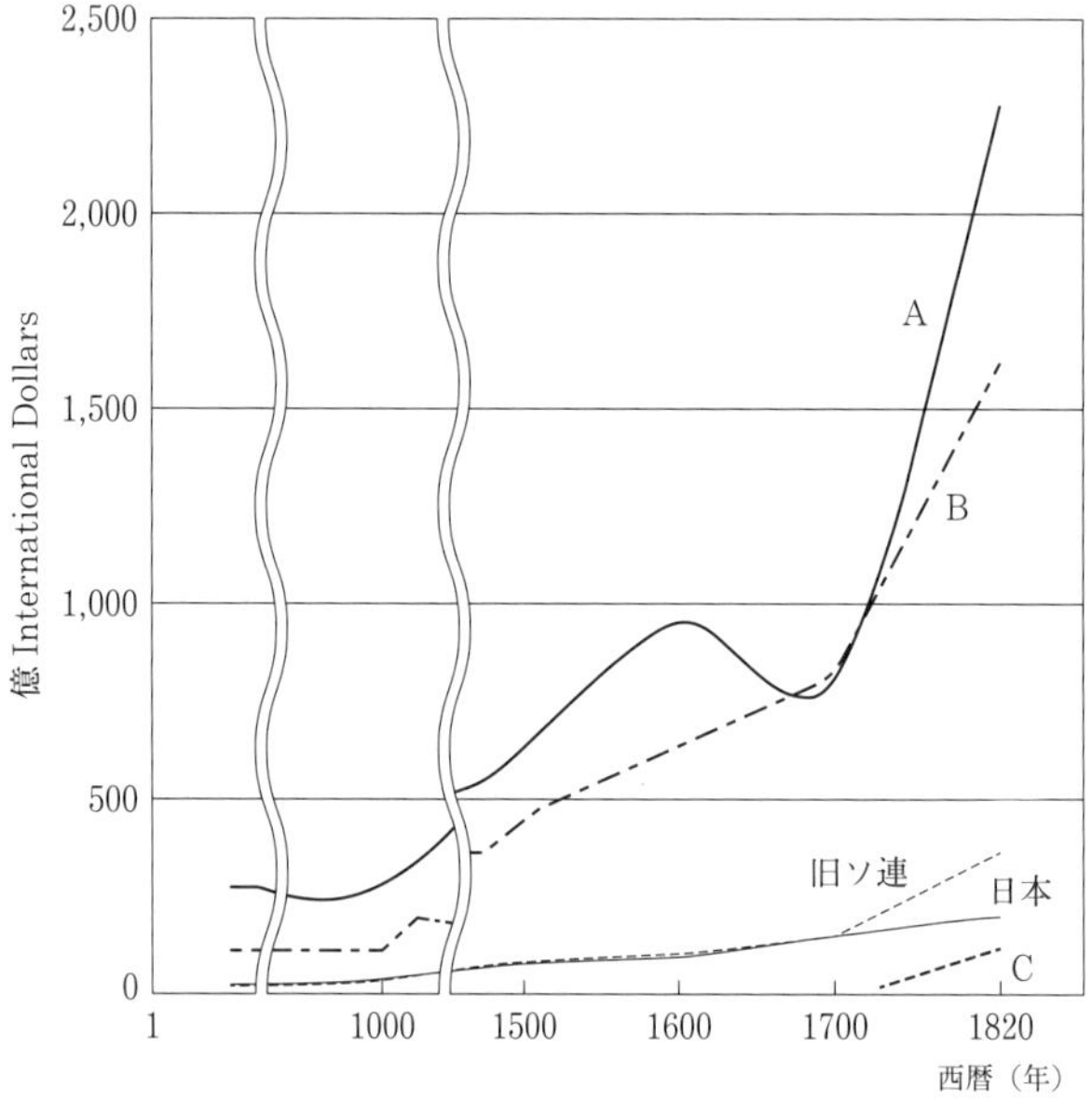

Maddison, A., *The World Economy: A Millennial Perspective*（Paris: OECD, 2001）: p. 261 を基に作成。

注 1：「西欧」とは，現オーストリア・ベルギー・デンマーク・フィンランド・フランス・ドイツ・イタリア・オランダ・ノルウェー・ポルトガル・スペイン・スウェーデン・スイス・英国を合わせたものである。

注 2：GDP 数値としては，主として人口規模に一人あたり産出額を掛け合わせて算出された概算値を使用している。

右のグラフは、西欧・旧ソ連・日本・中国・アメリカ合衆国における経済規模（GDP）を、超長期的な傾向を把握するために、過去にさかのぼって推計したものを表している。

Aは一時的停滞ののち、18世紀に経済規模を大きく拡大させている。それらの背景となる政治・社会・経済的動態について説明しなさい。解答には次の用語をすべて用いること（150字程度）。

人口　トウモロコシ　移住　開発

（大阪大　2013年）

さて、今回は少し難易度の高い問題を取り上げましょう。イギリスの経済学者アンガス＝マディソンの研究をもとに、受験生に考えさせるように大阪大学の先生方が工夫しています。ヒントとして指定されている用語も固有名詞ではなく一般名詞であり、答えが簡単には分からないようになっています。概念化されている一般名詞を、個別具体的な歴史的用語の中に落としこむためには、歴史的なつながりや展開を理解できているか、つまりは歴史像を持つことができているかが問われるからです。

のっけから、ついつい大上段にふりかぶってしまいました。ごめんなさい。大阪大学の設問が受験生たちに考えさせようとする良問であるだけに、力が入ってしまいました。でも心配はご無用。一つずつ解きほぐしてゆきましょう。

指定されているグラフを読み取ると、Cが18世紀から始まっていることからアメリカ合衆国であることはすぐに分かります。となれば、AとBが西欧か中国を示しているわけです。このうち、Aは17世紀に経済規模が大きく落ち込みますが、歴史を振り返ると、ほぼ一貫してBを上回っていますね。いったいどちらが西欧でどちらが中国なのでしょうか？

今までの章を読んでくださった方には簡単な問いかけだったかもしれません。第一章と二章であつかった、アケメネス朝と古代ギリシアの関係、また、第三章であつかった中世ヨーロッパにおける生産力の低さを想起すると、前近代までの世界において、ヨーロッパとアジアの経済力は、一貫してアジアの方が上でしたから、答えはAが中国となります。中国の経済は、17世紀に明《みん》から清《しん》への交替にともなう戦乱によって一時的な打撃を受けますが、その後18世紀に急速な成長を遂げています。その背景はいったい何だったのでしょう。

では、ここで清朝の歴代皇帝の顔を見てもらいましょう（図1・次ページ）。良く似た顔が多くて「遺伝子ってスゲー！」って思いますね。ともあれ、中国最後の王朝である清朝には全部で12人の皇帝がいます。この中で絶頂期を築いた皇帝は誰だかご存知ですか？実は第6代の乾隆《けんりゅう》帝だと言われています。在位年代を見てもらうと、のちに初代の皇帝と言われるヌルハチが即位したのが１６１６年、そして最後の宣統《せんとう》帝が辛亥《しんがい》革命によって退位するのが１９１２年です。したがって、清朝の歴史は第6代の乾隆帝が１７３５年に即位するまでの約１２０年間が発展の時期、絶頂期である乾隆帝60年の在位を経て、１７９５年に退位してから滅亡するまでのこれまた約１２０年間が衰退の時期ということになります。いかがでしょうか、こうして皇帝の顔を並べて見てみると、乾隆帝以後の皇帝が若くして死去したり、なんだかひ弱そうな顔をしている人が多いように感じませんか。

ひ弱そうな第7代から第12代までの皇帝については、またの機会にとっておいて、ここではヌルハチから乾隆帝までの歴史をたどってみましょう。ただし、それを理解するためには、清朝の前の明の時代にまで歴史をさかのぼって考える必要があります。

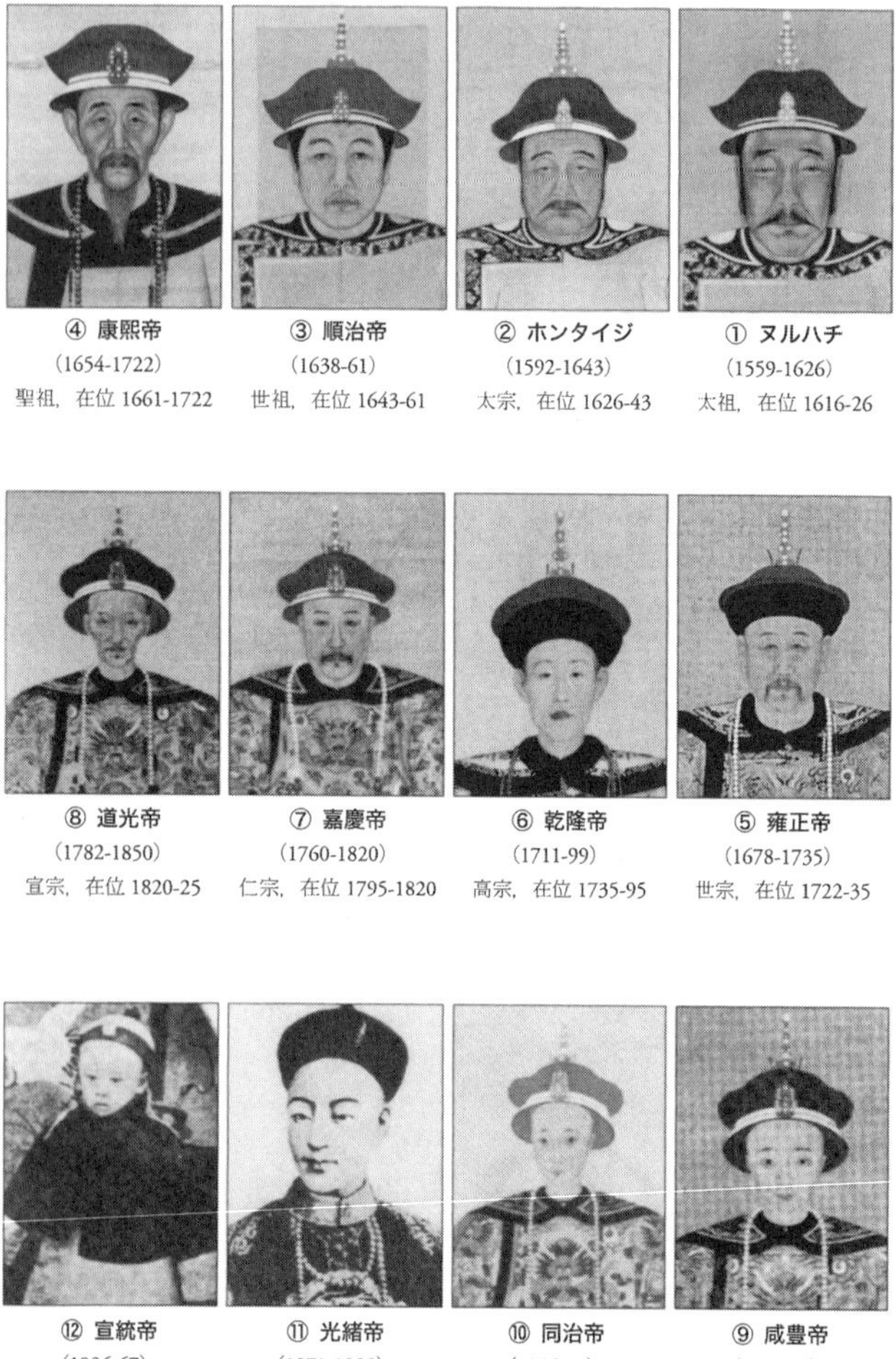

図１　清朝歴代皇帝肖像

『清朝とは何か　別冊 環 16』（岡田英弘編　藤原書店）より

1．ヌルハチ台頭の背景

さて、この図2・図3の2枚の絵は清朝が台頭した背景を示しています。それぞれ何であり、そしてそれがなぜ清朝の台頭に関連したかお分かりでしょうか？　そこで、16世紀後半に活躍した一人の人物（図4）に登場してもらいましょう。

図2

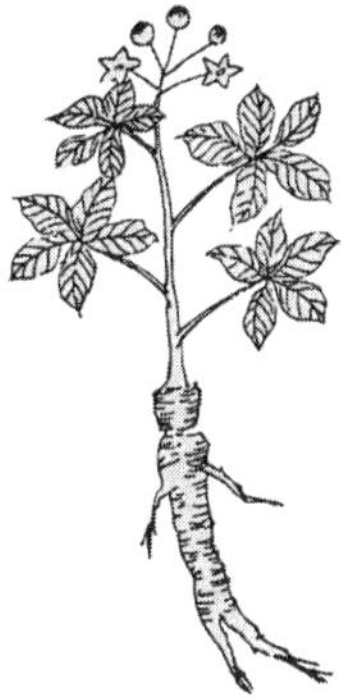
図3

図4

これはすぐに分かりますね。豊臣秀吉です。彼は天下人として知られていますが、全国を統一した後に秀吉がおこなったことと言えば、朝鮮に対する出兵を忘れるわけにはゆきません。

この朝鮮出兵については、近年、北島万次《きたじままんじ》氏が『秀吉の朝鮮侵略と民衆』（岩波新書）という本で、〔1〕朝鮮出兵に動員された日本の民衆・職人・兵士、〔2〕朝鮮側に投降して日本と戦った日本人（降倭）の動向、〔3〕日本と戦った朝鮮の民衆、〔4〕水軍を率いて日本軍を破り、日本軍の撃退に貢献した李舜臣《りしゅんしん》などに目配りをしながら、朝鮮出兵の実態とそれがもたらしたものについて、民衆レベルで解き明かしてくれています。興味のある人はぜひ読んでみて下さい。

日本で文禄の役（１５９２～96年）・慶長の役（１５９７～98年）と元号を冠して呼ばれているこの軍事行動は、朝鮮では当時の干支《えと》をとって壬辰《じんしん》倭乱・丁酉《ていゆう》倭乱と呼んでいます。この2度にわたる秀吉の朝鮮出兵に対し、朝鮮国の宗主国であった明は大軍を派遣して救援します。それはちょうど万暦《ばんれき》帝の時代にあたり、これとほぼ同時にモンゴルの降将ボハイの反乱と、四川において地方官である楊応竜《ようおうりゅう》の反乱がおこっていて、万暦帝はそれぞれに大軍を派遣しなくてはなりませんでした。このように、内乱の鎮圧や援軍の派遣などの

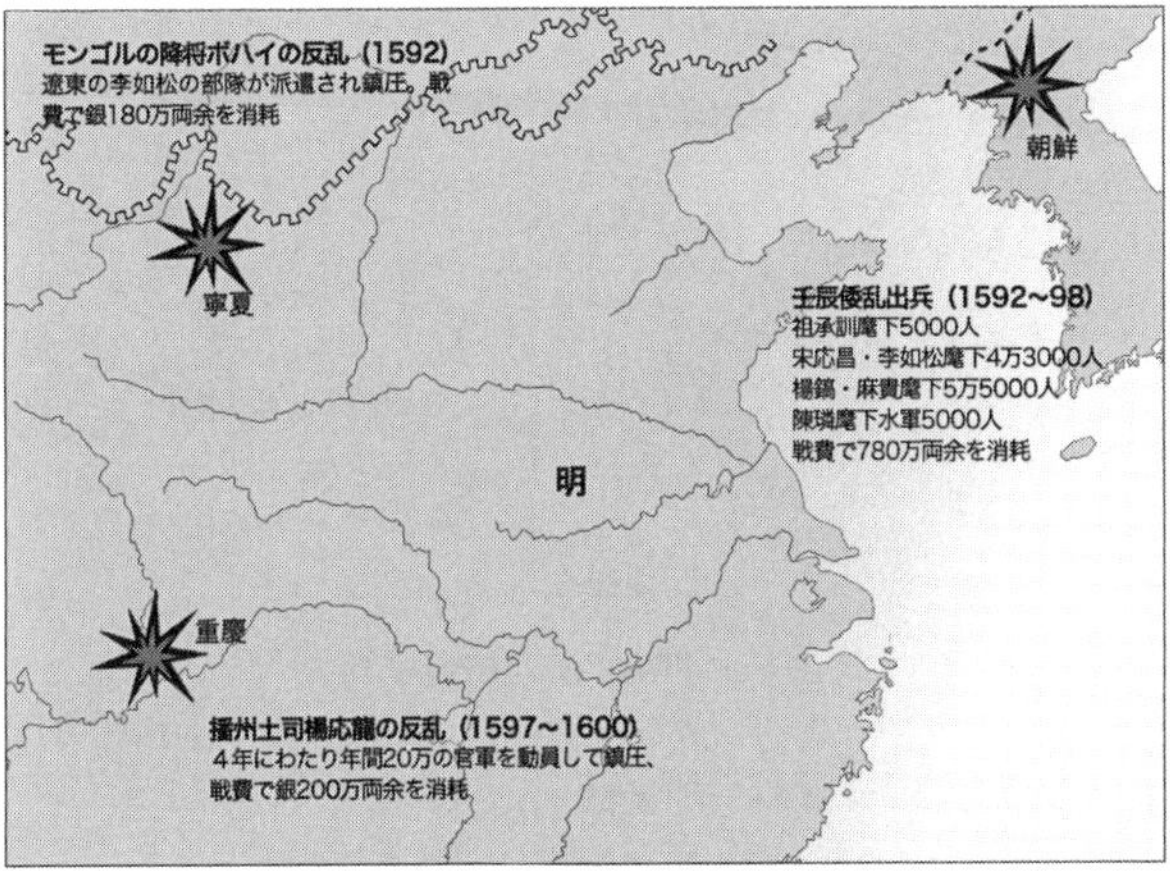

図５　明の「万暦の三大征」

『中国歴史地図』（朴漢済編著　平凡社）より

大規模な軍事行動に際して最も必要となるのはお金です。このいわゆる「万暦の三大征」（図５）によって明の財政は大きく傾きます。その中でも朝鮮への援軍派遣は最も規模が大きく、財政負担の大きなものでした。天下統一や太閤検地などを通して日本の歴史に大きな影響を与えた秀吉ですが、実は朝鮮と明の歴史にも大きな傷跡を残した点を忘れるわけにはゆきません。

さて、明から見て朝鮮半島は東北方面の「辺境地帯」にあたるわけですが、そこでの大規模な軍事行動に際しては、当然ながら巨額の軍資金が必要となりました。当時中国には生糸や絹織物、そして陶磁器などを求めて世界中から商人が集まっており、

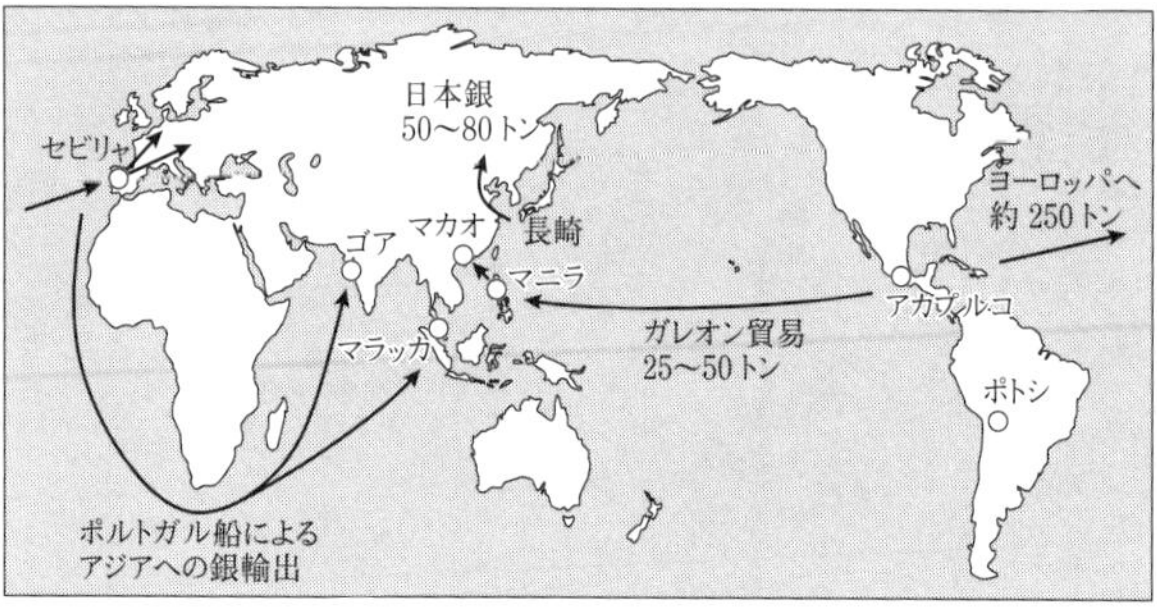

図6　1600年頃の銀の移動

『世界史リブレット13　東アジアの「近世」』（岸本美緒　山川出版社）の原図を元に一部改稿

いわゆる大航海時代以降には、ヨーロッパからもポルトガル人などが来航していました。彼らはアメリカ大陸のポトシ銀山やサカテカス銀山などから産出される銀を明に持ち込みました。図6に見られる通り、ヨーロッパ→喜望峰→ゴア→マラッカ→マカオというアジア経由でポルトガルが銀を中国に持ち込んだのに対し、スペインはアカプルコから太平洋を横断し、フィリピンのマニラ経由で中国に銀を運んだ点が興味深いです。このガレオン貿易（アカプルコ貿易）は、史上初の太平洋を定期的に横断する貿易ルートとして知られています。

そして忘れてならないのは、16世紀に灰吹き法が導入されて開発が進んだ石見《いわみ》大森銀山や但馬《たじま》生野《いくの》銀山などの日本銀も、ポルトガル商人らによって明に運ばれていたことでした。その量は17世紀に入ると

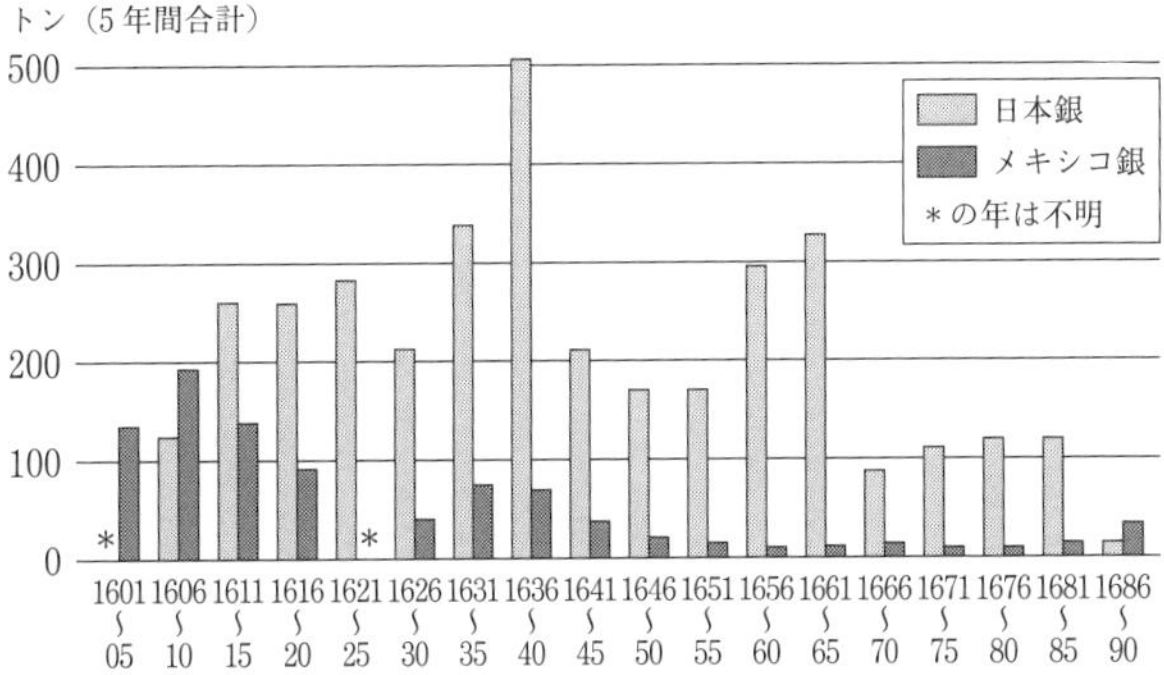

図７　中国に流入した日本銀とメキシコ銀の推計値

『世界史Ｂ』（東京書籍）より

アメリカ大陸からの銀を圧倒するようになります。このあたりのデータ（図７）は、世界史教科書（『世界史Ｂ』東京書籍）にしっかりと掲載されていて、高校生に考えるための素材を提供してくれています。ちなみに石見大森銀山は、２００７年７月に「石見銀山遺跡とその文化的景観」として、国内では14件目の世界遺産に登録されましたので、ご存知の方も多いでしょう。

この二つの図（図６・７）からも分かる通り、当時の中国は、「世界における銀の集積地」だったのです。しかし、外国から流入した銀のかなりの部分が、反乱の鎮圧に使用する軍資金として北方の軍政地帯へと運ばれ、その最前線にあたる東北地方（満洲）の経済を活性化させました。

さてそろそろ謎解きをしましょう。１４７ページに戻って図2の動物は黒貂《くろてん》です。手触りの良さと美しい光沢から高級毛皮の素材として珍重されていた黒貂は、東北地方北部の森林地帯に生息しています。また、図3の植物は人参《にんじん》です。もちろんただの人参ではなく、漢方薬として貴重ないわゆる朝鮮人参です。これは朝鮮半島北部の峻険な山岳地帯に自生するもので、希少な植物であるために高価なものとなっています。

16世紀の末から17世紀の初頭にかけて、以上の三つの出来事が重なり合いました。つまり、豊臣秀吉の朝鮮出兵により、明が東北辺境地帯で大軍を動かす必要が生じたこと。それにともなって巨額の銀がこの地域に流入して経済を活性化したこと。さらに、東北地方における希少動物と希少植物としての黒貂と朝鮮人参の需要が高まったことです（図8）。

そしてここに一人の人物が登場します。女真のヌルハチです。彼は朝鮮人参と黒貂の毛皮の取引で経済力を蓄え、八旗《はっき》と呼ばれる軍事行政組織に人々を編成し、東北地方で自立した勢力となってゆきました。１６１６年に後金（アイシン）という国家を樹立したヌルハチは、民族名を伝統的な女真（ジュシェン）から満洲（マンジュ）に改め、明と対峙するほどの力量を備えるのでした。

いかがでしょう、ヌルハチの政権誕生の背景には豊臣秀吉の朝鮮出兵があったと言った

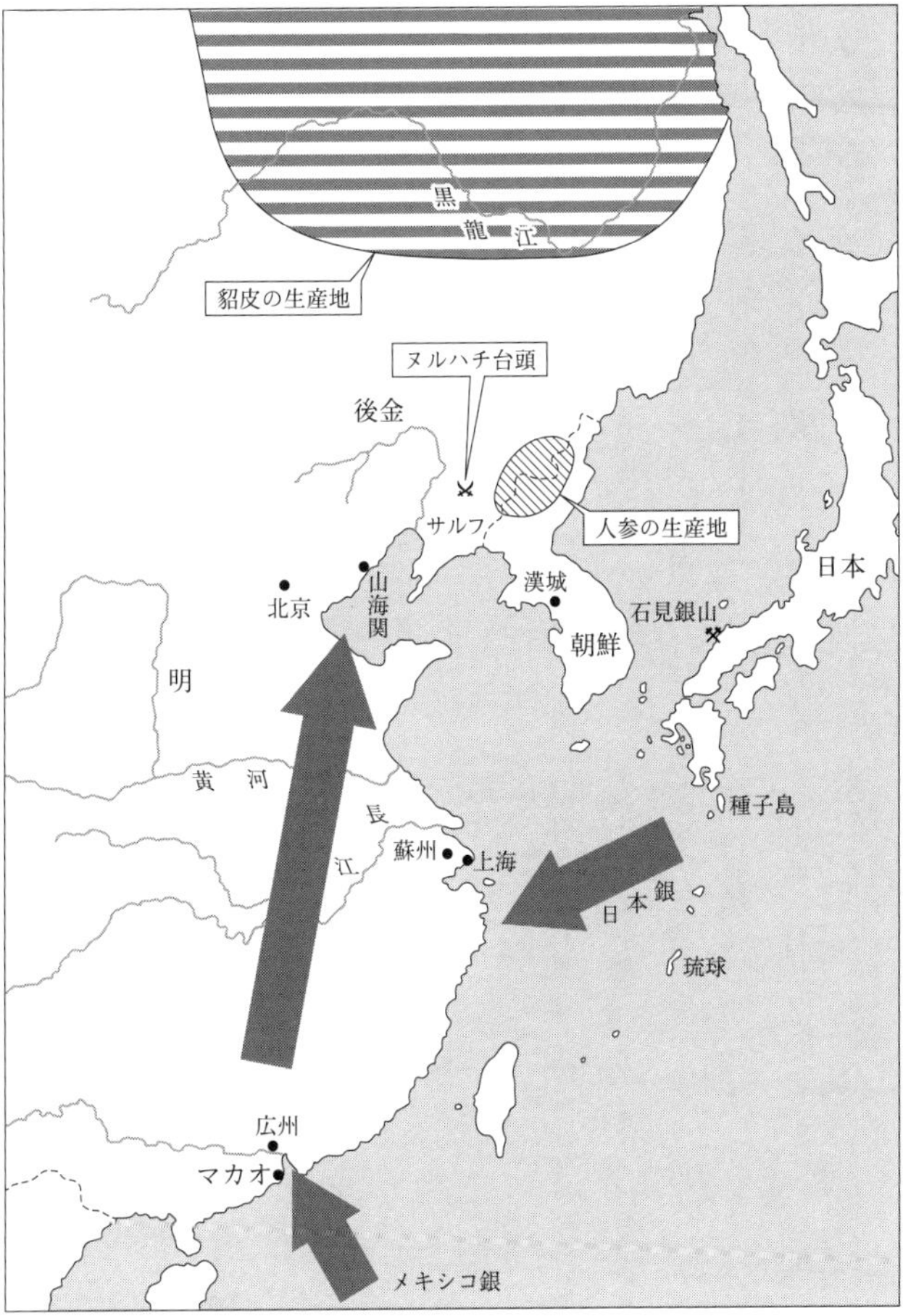

図 8　17 世紀初頭の東アジアの経済活動

ら言い過ぎになるでしょうか？　以上の観点はお茶の水女子大学名誉教授である岸本美緒氏の一連の研究に拠っていますが、岸本氏によるこの時代の秀逸な概説書に、『世界史リブレット13　東アジアの「近世」』（山川出版社）というものがあります。岸本氏の研究は、ヌルハチの台頭を銀の流入という世界規模の動きと連関させたうえで、のちに台湾を拠点とする鄭成功《ていせいこう》の一族による海上勢力の台頭ともリンクさせたものとなっており、明から清への王朝交替のメカニズムをダイナミックに説明してくれて、読んでいてワクワクするものとなっています。ぜひ一読をおススメします。

2．清朝の特徴

さて、ヌルハチは１６１９年のサルフの戦いで明を破って自立し、その後も明軍をしばしば破りますが、１６２６年に病を得て死去します。後継者となったのは息子のホンタイジ。そしてこのホンタイジの時に重要な制度的改変がなされます。

ちなみに、私は常々「ホンタイジに清朝のすべてがあらわされている！」と考えていますし、実際の高校での授業においてもそのように生徒に対して話します。それはどういうことかと言うと、次のように説明することができます。

①　1636年5月15日　ホンタイジ瀋陽《しんよう》で即位

ホンタイジは4月に国号を清と改めて、全中国の併合を目指すと共に、翌5月に皇帝の位に就きます。その時の皇帝名は次の通りです。

・ゴシン＝オンチョ＝フワリヤスン＝エンドゥリンゲ＝ハーン
・アグーダ＝オロシェークチ＝ナイラムドー＝ボグダ＝ハーン
・寛温仁聖皇帝

発音が面白くて大好きですが、でもなぜ皇帝名が3種類もあるのでしょうか？

実は一つ目は満洲人のハンとしての名、二つ目はモンゴル人のハンとしての名、そして三つ目が中国人の皇帝としての名前なのです。このようにホンタイジは三つの顔を使い分けたのです。ちなみに、これに連動して年号も、

- ウェシフン・エルデムンゲ（満洲語）
- デード・エルデムト（モンゴル語）
- 崇徳（漢語）

と3種類を状況や相手に応じて使い分けました。ホンタイジの清は、すでに多民族帝国としての道を歩み始めていたのです。

② 皇后はすべてモンゴル人

　ホンタイジの出自である満洲人を含め、中国北方の遊牧民族たちにとって、チンギス＝ハンとフビライ＝ハンの血筋を受け継ぐ者こそがハンと称することが許されるという伝統がありました。これをチンギス統原理と言うのですが、ホンタイジにはチンギス＝ハンの血は入っていません。そこでホンタイジは、当時モンゴルの正統を受け継ぐものと考えられていたチャハル＝ハン家を服属させた際、チャハルのリンダン＝ハンの未亡人などモンゴル系貴族との結婚を進めます。また、リンダン＝ハンの息子エジェイには、ホンタイジの次女マカタ＝ゲゲ姫を嫁がせ、清朝最高の皇族の爵位を与えます。これは、ホンタイジ

【ホンタイジ関連年表】
1635　内モンゴルのチャハルを滅ぼす
1636　国号を清と改称
1637　朝鮮（李朝）を属国とする
1639　満洲八旗に加え、蒙古八旗、漢軍八旗を創設

がチンギス＝ハンの血筋につながり、フビライ＝ハンに始まる元朝の正統な後継者であることを自己主張するものでした。

ホンタイジは、東北地方の瀋陽で遊牧民の最高決定会議であるクリルタイを開き、モンゴル諸侯よりボグド＝セチェン＝ハーン（聖なる賢明なハン）と呼ばれるのでした。

③　多様な顔

このようにしてホンタイジは、満洲人に対しては八旗軍団の長として、モンゴル人に対しては大ハーンとして、万里の長城以南に居住する漢人に対しては中国の伝統的な皇帝として、また、チベット人に対してはチベット仏教の保護者としてふるまうようになってゆくのです。公用語も満洲語、モンゴル語、漢語を併用しました。従って、ホンタイジ以後の清朝では、支配下の様々な民族の制度や歴史的なあり方を踏まえた上で、それをうまく利用しながら統治をおこなってゆくのです。それは、ホンタイジが一人の人物でありながら、「多様な顔」を

図9　辮髪にした清の人びと（1880年代）

使い分けているようなもので、多民族帝国としての清朝の誕生を意味しているのです。

清朝は続く順治《じゅんち》帝の時に長城を越えて中国本土に進出し、「中国史上最高の名君」とも言われる康熙《こうき》帝の時に三藩の乱を鎮圧し、台湾を拠点とした鄭氏勢力を服属させて中国の統一を成し遂げます。この康熙帝は皇帝として61年間も君臨し、続く雍正《ようせい》帝の13年（統治期間は短いですが、その歴史的な意味の大きさについては宮崎市定『雍正帝』岩波新書、をぜひお読みください）を経て、全盛期とされる乾隆帝の60年間がやってきます。この三代134年間という統治があったからこそ、あの巨大な清朝が維持されて、ひいては現在の中華人民共和国にまでいたっている、と考えることができます。

人口や文化力で劣る満洲人が圧倒的多数の漢人世界を統治するために、清朝は巧みな政策をとりました。薙髪《ちはつ》令（辮髪《べんぱつ》令）を発布して、満洲人の髪型を漢人に強制します（図9）。「頭を留《とど》めんと欲すれば髪を留めず、髪を留めんと欲すれば頭を留めず」という言葉

図10　清代のアジア（18世紀）

『新版　世界各国史3　中国史』（尾形勇・岸本美緒編　山川出版社）より

は有名ですね。この髪型にしないと首を切るぞ、ということでしょう。辮髪はのちの辛亥革命（1911〜12年）にいたるまで、中国の人々に浸透しました。皆さんも見たことがあるでしょう、ゆでたまご氏作の漫画「キン肉マン」の人気キャラクターの一人にラーメンマンというのがいて、それはもう見事な辮髪をしていますね。

清朝はこれ以外にも文《もん》

図11

図12

字《じ》の獄や禁書令を発して、厳しい言論統制などの威圧策をおこなう一方、科挙を奨励して漢人を積極的に役人に採用し、中央官僚のポストを漢人と満洲人で同数とするなどの懐柔策をとりました。この「アメとムチ」の使い分けに長《た》けていたがゆえに、広大な領土を維持することができたと言えるでしょう。

また、清朝の各地には地方統治のために巡撫《じゅんぶ》という地方長官が置かれましたが、それと同時にほぼ同じ地域にもう一つの地方長官である総督を置き、両者を互いに牽制させることで地方の独立勢力の台頭を防ぐという巧みな行政制度を構築したりもしました。

さらに、漢人以外の遊牧系諸民族に対しては高度な自治を認めて藩部とし、従来の支配者であるモンゴルの君主や、中央アジアのトルコ系君主、チベットにおける政教両面の指導者であるダライ＝ラマなど

図13

の支配をそのまま認めて間接的にコントロールする政策をとりました。

　図10を見ると、黄河や長江を中心とする漢人居住地域に、満洲人勃興《ぼつこう》の地である東北地方、そして台湾を加えた直轄地《ちよつかつち》だけでなく、モンゴル人、ウイグル人、チベット人などが住む藩部を統治したことが、現在の中華人民共和国の領土の根本になっていることが分かります。

　さて、以上の話を踏まえて、3枚の絵（図11・12・13）をご覧ください。皆同じ人物ですが、姿かたちがそれぞれ異なります。一体どういうことでしょう。

　これは清朝最盛期の皇帝である乾隆帝の肖像画です。

　図11は25歳で即位した時の肖像、カトリックの布教のために来朝したイエズス会宣教師カスティリオーネによる絵と推定され、西洋の画風が取り入れられていますが、乾隆帝自身は満洲人の民族衣装を着て八旗の長としての存在をアピールしているかのようです。

　図12は「乾隆帝是一是二《これいちこれに》図軸」（部分）で、中国の伝統的な文人の服装をしています。これは中国で圧倒的多数を占める漢人たちの皇帝としての顔を示すために描かれたもので、

乾隆帝は自ら漢詩をつくり、儒学を学び、中国の伝統文化をリードする存在として、始皇帝以来の漢人の皇帝であることをアピールしています。ところで余談になりますが、漢人の皇帝として君臨するために乾隆帝は漢詩を毎日必ず数首つくり、そこで使用した用語の出典を科挙に合格して出世した大臣たちに問い、かれらが即答できないことを生き甲斐にしていたそうです（『世界の歴史9　最後の東洋的社会』中公文庫の三田村泰助氏執筆部分参照）。なんだかちょっとイジワルですね。

　さらに図13では、自ら文殊《もんじゅ》菩薩《ぼさつ》に扮した肖像画を描かせました（河北省承徳の普寧寺伝来）。台座にはチベット文字で「乾隆帝こそ文殊菩薩の化身であり、世界の支配者である」と書かれていますが、これはチベット人やモンゴル人、そして満洲人の間に広まっていたチベット仏教の保護者であることを示すことで、西方から北方の遊牧世界の統治を図ったものだったのです。清朝の皇帝はホンタイジ以来、このように様々な宗教・文化・民族をそれぞれに対応した形で統治する仕組みを作り上げてゆきました。まさしく清朝は、皇帝への権力集中と多民族帝国中国の歴史の集大成であったと言えるでしょう。

　最後に、清朝における朝貢国の様子がうかがえるデータ（図14）を見ておきましょう。朝鮮・琉球をはじめ、越南（ベトナム）、シャム（タイ）、ビルマ（ミャンマー）、ラオス、

朝　貢　国	朝貢期	ルート	朝貢回数
朝鮮	1年1貢	瀋陽・山海関	223
琉球	2年1貢	福州	122
越南	2年1貢	鎮南関・広西	50
暹羅（シャム）	3年1貢	広東	49
蘇禄（スールー）	5年1貢	厦門	7
緬甸（ミャンマー）	10年1貢	雲南	17
老撾（ラオス）	10年1貢	雲南	17
オランダ	不定期	広東	4
西洋国（ポルトガル・イギリス）	不定期	澳門	9

図14　清朝期の朝貢（1662〜1911）

『国民国家を問う』（歴史学研究会編　青木書店）所収「二〇世紀中国における『国民国家』と社会主義」（西村成雄）より

フィリピン南部のイスラーム教国であるスールーに至るまで、東南アジアの国々はほとんどが朝貢をしています。また、オランダ・ポルトガル・イギリスなどの西洋諸国も清朝からすると朝貢国と見なされていたことが分かります。

この中で朝鮮と琉球王国からの朝貢がずば抜けて多いことが見て取れますが、清朝にとって両国がそれだけ重要であったことを示しています。19世紀後半に両国をめぐって日本と清朝が対立して日清戦争にまで至ったことも、このデータを見ればよく理解できますね。しかしこのテーマはまた機会があれば別の場所で。

ともあれ、中国最後の王朝となる清朝

（もちろんこれは私たちの歴史の後知恵ですが）は、中国の歴史と遊牧世界の歴史を継承しながらその大統一をはかり、乾隆帝の時代を中心に政治的にも社会的にも安定した繁栄の時代を迎えていたことが分かりました。そしてその周囲には、定期的に朝貢をおこなう国々も存在して、清朝を中心とした独自の世界が形成されていたのです。

3．清代の経済発展

ここまで清朝における政治と社会の安定と発展について見てきましたので、最後に経済の発展を見てゆきましょう。

そこで、図15の人物は誰でしょうか？　ヒントをもとに考えてみて下さい。

図15

ヒント1　私は元禄11年（１６９８年）日本橋の魚問屋の一人息子として生まれました。

ヒント2　儒学を学び、享保20年（１７３５年）『蕃薯考《ばんしょこう》』を発表します。

ヒント3　徳川吉宗よりある作物の栽培を命じられ、関東におけるその作物の普及に貢献したため「甘藷《かんしょ》先生」と呼ばれています。

はい、もうお分かりですね。これはもちろん青木昆陽《こんよう》です。そして彼が普及に努めたのが、救荒作物としても知られるサツマイモでした。ではそのサツマイモはどこから日本に入ってきたものなのでしょう？

ちなみにサツマイモはなぜサツマイモと言うかと言えば、日本には薩摩（鹿児島）から伝わって広まっていったからでしたが、では薩摩ではサツマイモは何と呼ぶのでしょうか？　実は琉球芋と呼ぶそうです。もちろん琉球（沖縄）から伝わったからですが、では琉球では何と呼ぶのでしょうか？　実はカライモと呼びます。カライモのカラは「唐」と書き、古くから唐は中国のことでしたね。ちなみに中国では何と言うのでしょうか？　実は甘薯と言いますが、これは日本でも同じ呼び名を使うこともありますね。

明末から清にかけて、ヨーロッパ経由でアメリカ大陸が原産のサツマイモとトウモロコシが導入されます。水利の便のないやせた土地や傾斜地などでも栽培が可能なトウモロコシが華北で、サツマイモが江南などで栽培されるようになると、山地の開発が可能となり、人口の急増を支えることになりました。耕地面積の拡大がなされたのですが、言ってみればそれは「フロンティア」の拡大と理解することができるでしょう。清朝の時代にこのような「フロンティア」として、華南や東北、台湾や山地などへの人口の移住に伴う開発も進展した結果、中国は世界最大の経済規模を持つようになりました。これは本章冒頭の阪大の問題にあるグラフ（１４２ページ）からも読み取れますね。なお、増大する人口は国内の「フロンティア」だけでは吸収することができず、主に広東省や福建省から東南アジア方面に南洋華僑《かきょう》として飛び出してゆくことになりました。これが現在の華僑や華人のルーツの一つとなっています。

いっぽう、清朝が中国を統一してゆく過程で、台湾を拠点とした鄭氏一族を１６８３年に服属させると、清朝は対外貿易を統制していた海禁を解除します。これにより中国の特産品である絹や陶磁器、そして茶などの輸出を通して対外貿易は黒字を計上し、海外から当時のアジアにおける国際通貨であった銀がさらに流入してきたのです。清朝は民間で流通していたこの銀を、地《ち》丁銀《ていぎん》と呼ばれる税制度を整備することによって中央政府に回収したのでした。

経済の発展は中国内における遠隔地商業のネットワークを活性化させ、山西商人や徽州《きしゅう》商人などが活躍して各地の都市には会館や公所などの同郷者や同業者による相互扶助施設も建てられました。この「○○会館」という呼び名は、日本にも各地で見られますね。

　冒頭の論述問題では、グラフのAが中国のことを指すのか、それとも西欧のことなのかすぐには分からないようにしてあります。しかもヒントとなる指定用語からは意図的に固有名詞をはずしてあるため、いったいどちらなのかをまず受験生に考えさせるものとなっています。「西欧の方が優れている」という先入観を歴史評価の中に持ち込んでしまうと、最初からボタンを掛け違えてしまい、西欧で解答を作成してしまうかもしれません。その場合はもちろん0点です。まずはこの阪大の先生方が仕掛けたトラップにひっかからないことが大切です。

　歴史的にヨーロッパよりも中国の経済規模が常に大きかったこと、明清交替期に中国の経済や社会に大きな打撃が加えられたこと、しかしそれを克服して安定した社会制度を構築した清朝のもとで、広大な国土を利用した辺境の開拓や、大航海時代以後の世界的な交流を背景とした新作物の導入などによって18世紀に経済を飛躍的に向上させたことなど、世界の歴史を長く広いスパンで捉える能力が求められる論述問題でした。難易度は高いですが、大阪大学の先生方のヒット作の一つと言えるのではないでしょうか。

【解答例】

明清交替の混乱ののち、清朝は康熙・雍正・乾隆帝の時代に領土が拡大して統治も安定し、生糸や茶などの貿易を通じて銀が流入する繁栄期をむかえた。また、トウモロコシやサツマイモなど新作物の導入は、山地の開発などを促進して耕地面積を増大させて人口の急増を支え、東北・華南・台湾などへの移住も進んで経済規模が拡大した。

（153字）

4．エピローグ　抱える問題

しかしそのいっぽうで、このような中国における社会と経済の発展は、同時に次のような問題も生み出すことになりました。つまり、耕地面積は増えましたが、それをはるかに上回る勢いで人口が増加してしまったため、窮乏化する農民が徐々に増えていったのです。

アメリカ合衆国の「フロンティア」とは異なり、中国においてこの時開拓された土地は、山間部やもともと自然環境の厳しい場所などに限られており、当然ながらやがて限界が来

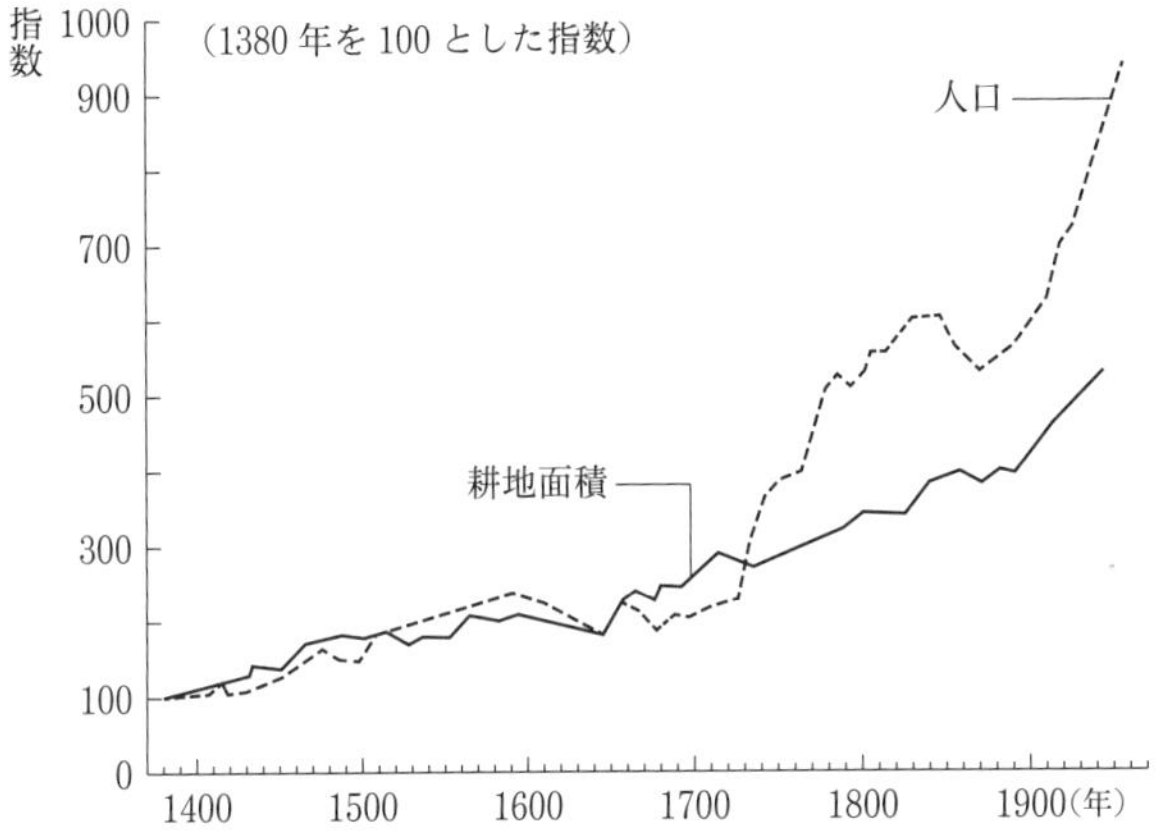

図16　明朝〜清朝期の耕地面積と人口の推移

『世界史リブレット108　徽州商人と明清中国』（中島楽章　山川出版社）の原図を元に一部改稿

ました。それでも当時耕地面積はなんと2倍にまで拡大したと言われていますが、人口が3倍以上になってしまいました。これでは土地が圧倒的に不足します（図16）。

　また、山地の開墾や、燃料確保のための森林伐採などによって土壌が流出し環境の破壊が進んだため、大規模な自然災害が発生することもあり、限られた資源をめぐって新たに入植した農民たちと元から生活していた人々との争いもおこるなど、社会不安が生み出されてゆきました。「成長の18世紀」に続く19世紀は、清朝にとって「試練の世紀」となったのです。豊かで安定していたがゆえに人口が増加し、しかしそのために窮乏化が進む地域が出てくるという、皮肉な現実に直面するのです。このような状況の中で、イギリスがアヘンの密輸をおこなった結果、国内の混乱がさらに深まってゆくのでした。のちのアヘン戦争当時の清朝の状況を、歴史的な背景と共に捉えることによって、なぜ清朝の敗北に終わったのかをより深い次元で理解することができるようになるでしょう。

清朝の歴史は乾隆帝を分水嶺《ぶんすいれい》として捉えることができるのでした。

ひるがえって見てみると、現在の中国は「世界の工場」としてこれまた急速に経済規模を拡大させて、世界的に大きな影響力を持つようになりました。しかしそこには、環境問題など克服しなくてはいけない諸問題も多く残されているように思えます。それを考えるヒントが、18世紀における経済規模の拡大に隠されているのではないでしょうか。

また、皇帝が多様な顔を持つ清朝の政治構造も、欧米諸国が国民国家を建設する中、それに対抗するためにも変容が必要となってゆきます。のちに生まれるナショナリズムの台頭は、清朝の解体をもたらす結果となることでしょう。

さて、乾隆帝の末年にイギリスからの使節団が来朝しました。団長の名前はマカートニー。世にマカートニー使節団として知られており、清朝と貿易交渉をおこなおうとしたも

図17　ジェームズ＝ギルレイ「マカートニーを謁見する乾隆帝」

のでした。図17の絵は、乾隆帝に謁見するマカートニーの様子ですが、実際にはイギリスで風刺画を多く描いたギルレイが、マカートニー謁見の1年前に想像で描いたものです。従って乾隆帝や清朝の高官たちは著《いちじる》しく戯画化されており、この絵をもって乾隆帝その人を判断してはならないのですが、しかし同時に、当時のイギリス人が清朝に対してどのようなイメージを持っていたかをうかがうことはできるでしょう。そしてさらに当事者の記録としてマカートニーの日記が残されていますが、彼はそこで次のような観察をおこなっているのです。

「中華帝国は有能で油断のない運転士がつづいたおかげで過去百五十年間どうやら無事に浮かんできて、大きな図体《ずうたい》と外観だけにものを言わせ、近隣諸国をなんとか畏怖させてきた、古びてボロボロに傷んだ戦闘艦に等しい。しかし、ひとたび無能な人間が甲板に立って指揮をとることになれば、必ずや艦の規律は緩《ゆる》み、安全は失われる。艦はすぐには沈没しないで、しばらくは難破船として漂流するかもしれない。しかし、やがて岸にぶつけて粉微《こなみ》塵《じん》に砕けるであろう。」

（マカートニー『中国訪問使節日記』１７９４年1月7日）

いかがでしょう。「歴史の後知恵」としてその後の歴史の展開を知っている私たちから見ると、マカートニーの洞察力は大したものだと感心しますね。清朝とヨーロッパとの力関係の逆転は、もうそこまで迫っていたのです。

ここにおいてもやはり、乾隆帝の時代が清朝の分水嶺であったと言っておきたいと思います。

最後に蛇足となることを承知の上で、冒頭の設問のグラフ（１４２ページ）から読み取れることをいくつか指摘しておきましょう。Ｂの西欧で11〜12世紀ごろに経済力が向上しているのは、本書の第三章で見たとおり、12世紀ルネサンスとの関連を指摘できます。また、18世紀以後急速な経済規模の拡大を経験しますが、これは産業革命の進展によるものです。旧ソ連、つまりロシアも18世紀以後成長が加速していますが、これはピョートル１世による国家と社会の仕組みの改革と国土の拡大によるものでしょう。Ｃのアメリカ合衆国は、建国時から経済規模が拡大し始めますが、それが世界をおおうほどのものになるのは、このグラフが対象とする１８２０年までよりもはるか先のことです。ペリー来航の30年ほど前においては、経済規模は日本の方が上であり、中国はそのはるか上をいっていたのです！　日本は一貫してゆるやかな成長を記録していますが、急速な伸びはやはり１８２０年以後のことになるでしょう。

アンガス＝マディソンのこのグラフは、あくまで大まかな傾向をつかむためのものであり、データに関して様々な議論が必要であることを忘れてはいけませんが、多くの示唆《しさ》を与えてくれるものであることは間違いありません。

さて、ここまで古代から近世に至るいくつかのテーマをとりあげてきましたが、主としてアジアが世界の中心であったことを述べて参りました。では、それがいつ頃から、どのように欧米中心の世界となり、新たな課題を生み出していったのかを共に考えてゆくのが、近刊予定の近現代史編のテーマとなることでしょう。

あとがき

大学の入試問題を世界の歴史を知るための切り口として使わせてもらうことは、学校教育の現場において実践してきたことでした。その際、一問一答のような知識を問うものではなく、出来事の背景、つながりなどの因果関係、それによる影響、他の出来事や地域との対比、そして歴史上の意義などについて考えてゆくための素材として、論述問題を取りあげてきました。出題の意図がどこにあるのかを探究することは、まるで出題者の方々と対話をしているような気になることもあり、私の好きな時間です。本書で取り上げた入試問題を作問された方々に、心から感謝したいと思います。

さて、ここで本書が生まれるまでの「歴史」を簡単に紹介いたしましょう。

各章の大本となった朝日新聞夕刊への連載は、２０１３年4月から２０１６年5月まで毎月1回、日本史担当の相澤理《おさむ》さんと、世界史担当の津野田が月替わりで文化面に掲載するというものでした。これは、朝日新聞の編集委員である宮代栄一さんが、私の『やりなおし高校世界史――考えるための入試問題8問』（ちくま新書）を面白がってくださり、

「歴試学のススメ」として企画されたものです。「歴史を大学入試問題で学ぶ」というコンセプトであったことから、「歴試学」という言葉を宮代さんが作られたのでした。

　朝日新聞での掲載日は次の通りです。

序　章　グローバル化が黒死病大流行を生んだ？（２０１４年11月10日）
第一章　文字と帝国――世界をリードしたオリエント（２０１５年５月28日）
第二章　ギリシア民主政のダークな起源（２０１４年５月12日）
第三章　文明のリレーはイスラームが主役――12世紀ルネサンス（２０１３年10月７日）
第四章　「カリフ」で読み解くイスラーム１４００年史（２０１４年９月８日）
第五章　アジア世界を束ねた清朝皇帝「四つの顔」（２０１４年３月３日）

　続いて、新聞連載を開始した２０１３年の暮れ、文春新書の副編集長をされていた松下理香さんから、大変丁寧な手紙をいただきました。松下さんは、「歴試学のススメ」の書籍化をご提案くださったのです。企画を詰めるための松下さんとの打ち合わせは大変楽しく、かつジェンダーからの視点など、学ぶことの多い時間でした。そして骨組みも固まり、あとは原稿をまとめるだけ、となったのですが、私が本務の忙しさにかまけて締め切りを何度も延ばしてしまいました。その後、私が予定の６割くらいを完成させたところで、松下さんは２０１７年の３月に退職されることになってしまいます。

後悔という言葉が胸に刺さります。私が予定通りに原稿をお渡ししていれば、ご退職前に出版することができたのに、と思ってみても後の祭りでした。出版計画は別の編集者さんに引き継いでいただきましたが、私の職場異動などもあってまたしてもぐずぐずしてしまい、うやむやなまま時間が過ぎてしまったのです。

ほかの仕事をしていても、原稿のことは常に気にかかっていたのですが、ようやく２０２１年の春、文春新書編集長前島篤志さんに恐る恐る相談したところ、企画の継続を快く承諾してくださいました。その後は、若く有能な熊谷未希さんが編集実務を担当してくれました。熊谷さんは、私が見落としていた部分や文章表現などについて貴重なアドバイスをしてくれました。本書が少しでも読みやすいものになったとしたら、熊谷さんのおかげです。もちろん、内容の誤りなど一切の責任は津野田にあります。以上の通り、本書が出版されるまでには様々な方の力を借りました。改めて感謝の意を表したいと思います。

当初の企画が立てられてから世界情勢も大きく変動し、欧米諸国においても自国第一主義と排外主義を掲げる政権が次々と誕生したり、ＣＯＶＩＤ－19によるパンデミックで行動制限などが課せられるとは思ってもみませんでした。ただ、序章でグローバル化にともなう感染症の問題を取りあげたように、歴史を学ぶことから、私たちは多くの経験や知恵を引き出すことができるのではないかと期待しているところです。

２０２２年10月　秋の爽やかな風を感じながら。　津野田興一

津野田興一（つのだ こういち）

1965年生まれ。東京都立大学大学院人文科学研究科史学専攻修了。現在、東京都立立川高校で世界史を教える。著書に『世界史読書案内』（岩波ジュニア新書）、『やりなおし高校世界史——考えるための入試問題8問』（ちくま新書）、『「なぜ⁉」からはじめる世界史』（山川出版社）など。山川出版社の教科書『現代の歴史総合』でも執筆を担当。

文春新書

1391

大人《おとな》の学参《がくさん》　まるわかり世界史《せかいし》

2022年11月20日　第1刷発行

著　者　津野田　興　一
発行者　大　松　芳　男
発行所　株式会社　文　藝　春　秋

〒102-8008　東京都千代田区紀尾井町3-23
電話（03）3265-1211（代表）

印刷所　理　想　社
付物印刷　大　日　本　印　刷
製本所　大　口　製　本

定価はカバーに表示してあります。
万一、落丁・乱丁の場合は小社製作部宛お送り下さい。
送料小社負担でお取替え致します。

ISBN978-4-16-661391-5

◆世界の国と歴史

盗まれたエジプト文明　篠田航一
歴史を活かす力　出口治明
世界一ポップな国際ニュースの授業　藤原帰一・石田衣良
三国志入門　宮城谷昌光
悲劇の世界遺産　井出　明
シルクロードとローマ帝国の興亡　井上文則
いまさら聞けないキリスト教のおバカ質問　橋爪大三郎
プーチンと習近平　独裁者のサイバー戦争　山田敏弘

◆政治の世界

民主主義とは何なのか　長谷川三千子
司馬遼太郎　リーダーの条件　半藤一利・磯田道史・鴨下信一他
自滅するアメリカ帝国　伊藤　貫
新しい国へ　安倍晋三
日本に絶望している人のための政治入門　三浦瑠麗
あなたに伝えたい政治の話　三浦瑠麗
政治を選ぶ力　橋下　徹・三浦瑠麗
日本の分断　三浦瑠麗
国のために死ねるか　伊藤祐靖
田中角栄　最後のインタビュー　佐藤　修
日米同盟のリアリズム　小川和久
軍人が政治家になってはいけない本当の理由　廣中雅之
小泉進次郎と福田達夫　田﨑史郎
日本よ、完全自立を　石原慎太郎
内閣調査室秘録　志垣民郎　岸　俊光編
軍事と政治　日本の選択　細谷雄一編

兵器を買わされる日本　東京新聞社会部
地方議員は必要か　ＮＨＫスペシャル取材班
知事の真贋　片山善博
政治家の覚悟　菅　義偉
小林秀雄の政治学　中野剛志
枝野ビジョン　支え合う日本　枝野幸男
検証　安倍政権　アジア・パシフィック・イニシアティブ

品切の節はご容赦下さい

◆アジアの国と歴史

韓国併合への道 完全版　呉 善花
侮日論　呉 善花
韓国「反日民族主義」の奈落　呉 善花
ルポ 絶望の韓国　牧野愛博
韓国を支配する「空気」の研究　牧野愛博
金正恩と金与正　牧野愛博
「中国」という神話　楊 海英
独裁の中国現代史　楊 海英
ジェノサイド国家中国の真実　于田ケリム 楊 海英
劉備と諸葛亮　柿沼陽平
王室と不敬罪　岩佐淳士
キャッシュレス国家　西村友作
性と欲望の中国　安田峰俊
日本の海が盗まれる　山田吉彦
インドが変える世界地図　広瀬公巳
反日種族主義と日本人　久保田るり子
三国志入門　宮城谷昌光
ラストエンペラー習近平　エドワード・ルトワック 奥山真司訳
韓国エンタメはなぜ世界で成功したのか　菅野朋子

◆さまざまな人生

生きる悪知恵　西原理恵子
家族の悪知恵　西原理恵子
男性論 ECCE HOMO　ヤマザキマリ
それでもこの世は悪くなかった　佐藤愛子
僕たちが何者でもなかった頃の話をしよう　山中伸弥・羽生善治・是枝裕和・山極壽一・永田和宏
続・僕たちが何者でもなかった頃の話をしよう　池田理代子・平田オリザ・彬子女王・大隅良典・永田和宏
安楽死で死なせて下さい　橋田壽賀子
変節と愛国　浅海 保
一切なりゆき　樹木希林
天邪鬼のすすめ　下重暁子
さらば！ サラリーマン　溝口 敦
私の大往生　週刊文春編
昭和とわたし　澤地久枝
それでも、逃げない　三浦瑠麗 乙武洋匡
知の旅は終わらない　立花 隆
死ねない時代の哲学　村上陽一郎

イライラしたら豆を買いなさい　林家木久扇
老いと学びの極意　武田鉄矢
在宅ひとり死のススメ　上野千鶴子
最後の人声天語　坪内祐三
なんで家族を続けるの？　内田也哉子・中野信子
百歳以前　徳岡孝夫・土井荘平
迷わない。完全版　櫻井よしこ
東大女子という生き方　秋山千佳

◆食の愉しみ

発酵食品礼讃　小泉武夫
毒草を食べてみた　植松　黎
中国茶図鑑　工藤佳治・俞　向紅　写真・丸山洋平
チーズ図鑑　文藝春秋編
食の世界地図　21世紀研究会編
一杯の紅茶の世界史　磯淵　猛
辰巳芳子　スープの手ほどき　和の部　辰巳芳子
辰巳芳子　スープの手ほどき　洋の部　辰巳芳子
新版　娘につたえる私の味　一月～五月　辰巳浜子・辰巳芳子
新版　娘につたえる私の味　六月～十二月　辰巳浜子・辰巳芳子
小林カツ代のお料理入門　小林カツ代
一生食べたい　カツ代流レシピ　小林カツ代・本田明子
フレンチの王道　井上　旭・聞き手　神山典士
日本のすごい食材　河﨑貴一
歴史の中のワイン　山本　博
農業新時代　川内イオ

農業フロンティア　川内イオ

（2022. 04）D
品切の節はご容赦下さい